DEAMETRIA
Hospital Amor & Caridade

A você, que vai entrar agora nesta linda e reveladora psicografia, desejo muita luz, paz, amor e felicidade. Que as linhas por mim escritas lhe ajudem em sua jornada evolutiva.

São meus sinceros votos,

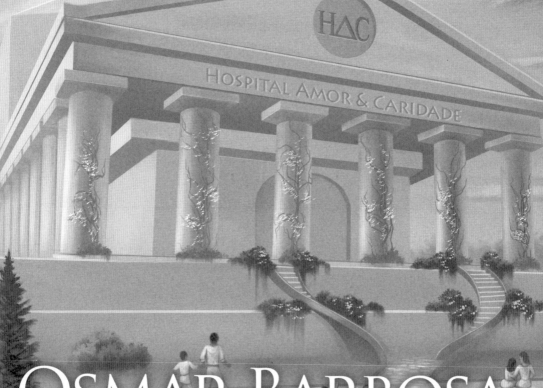

pelo Espírito NINA BRESTONINI

DEAMETRIA
Hospital Amor & Caridade

OSMAR BARBOSA

O autor cedeu os direitos autorais deste livro ao
Hospital Espiritual Amor e Caridade.
www.fraternidadeespirita.org

pelo Espírito Nina Brestonini

Deametria
Hospital Amor & Caridade

Book Espírita Editora
1ª Edição
| Rio de Janeiro | 2021 |

Osmar Barbosa

BOOK ESPÍRITA EDITORA

Capa: Marco Mancen sobre ilustração de Manoela Costa

Projeto Gráfico e Diagramação:
Marco Mancen Design
Andressa Andrade

Imagens: Pixabay

Revisão: Camila Coutinho

Marketing e Comercial:
Michelle Santos

Pedidos de Livros e Contato Editorial:
comercial@bookespirita.com.br

Copyright © 2021 by
BOOK ESPÍRITA EDITORA
Região Oceânica, Niterói,
Rio de Janeiro.

1ª edição
Prefixo Editorial: 991053
Impresso no Brasil

Dados Internacionais de Catalogação na Publicação (CIP)
(Câmara Brasileira do Livro, SP, Brasil)

Brestonini, Nina (Espírito)
    Deametria : hospital amor & caridade / Espírito Nina Brestonini, [psicografado por] Osmar Barbosa. --
    1. ed. -- Niterói, RJ : Osmar B. Santos, 2021.
    ISBN 978-65-89628-09-5
    1. Espiritismo 2. Literatura espírita 3. Psicografia I. Barbosa, Osmar. II. Título.

21-58774   CDD-133.93

Índices para catálogo sistemático:
1. Psicografia : Espiritismo 133.93
Aline Graziele Benitez - Bibliotecária - CRB-1/3129

Todos os direitos reservados e protegidos pela Lei 9.610, de 19/02/1998. Nenhuma parte deste livro pode ser reproduzida ou transmitida por quaisquer formas ou meios eletrônicos ou mecânicos, incluindo fotocópia, gravação, digitação, entre outros, sem permissão expressa, por escrito, dos editores.

Outros livros psicografados por Osmar Barbosa

Cinco Dias no Umbral

Gitano - As Vidas do Cigano Rodrigo

O Guardião da Luz

Orai & Vigiai

Colônia Espiritual Amor e Caridade

Ondas da Vida

Antes que a Morte nos Separe

Além do Ser - A História de um Suicida

A Batalha dos Iluminados

Joana D'Arc - O Amor Venceu

Eu Sou Exu

500 Almas

Cinco Dias no Umbral - O Resgate

Entre nossas Vidas

O Amanhã nos Pertence

O Lado Azul da Vida

Mãe, Voltei!

Depois...

O Lado Oculto da Vida

Entrevista com Espíritos - Os Bastidores do Centro Espírita

Colônia Espiritual Amor e Caridade - Dias de Luz

O Médico de Deus

Amigo Fiel

Impuros - A Legião de Exus

Vinde à Mim

Autismo - A escolha de Nicolas

Umbanda para Iniciantes

Parafraseando Chico Xavier

Cinco Dias no Umbral - O Perdão

Acordei no Umbral

A Rosa do Cairo

Deixe-me Nascer

Obssessor

Regeneração - Uma Nova Era

Conheça um pouco mais de Osmar Barbosa:
www.osmarbarbosa.com.br

Agradecimento

Agradeço, primeiramente, a Deus por ter me concedido esse verdadeiro privilégio de servir humildemente como um mero instrumento dos planos superiores.

Agradeço a Jesus Cristo, espírito modelo, por guiar, conduzir e inspirar meus passos nessa desafiadora jornada terrena.

Agradeço a Nina Brestonini, e aos demais espíritos ao lado dos quais tive a honra e o privilégio de passar alguns dias psicografando este livro. Agradeço, ainda, pela oportunidade e por permitirem que essas humildes palavras, registradas neste livro, ajudem as pessoas a refletirem sobre suas atitudes, evoluindo.

Agradeço, também, a minha família pela cumplicidade, compreensão e dedicação. Sem vocês ao meu lado, me dando todo tipo de suporte, nada disso seria possível.

E agradeço a você, leitor amigo, que comprou este livro, e com a sua colaboração nos ajudará a levar a Doutrina Espírita e todos os seus benefícios e ensinamentos para mais e mais pessoas.

Obrigado!

A todos, os meus mais sinceros agradecimentos.

Osmar Barbosa

> Não se turbe o vosso coração; credes em Deus,
> crede também em mim.
> Na casa de meu Pai há muitas moradas;
> se não fosse assim, eu vo-lo teria dito.
> Vou preparar-vos lugar.
> E quando eu for, e vos preparar lugar, virei
> outra vez, e vos levarei para mim mesmo, para
> que onde eu estiver estejais vós também.
> Mesmo vós sabeis para onde vou,
> e conhecei o caminho.
> Disse Tomé: Senhor, nós não sabemos para onde vais;
> e como podemos saber o caminho?
> Disse-lhe Jesus: Eu sou o caminho, e a verdade e a
> vida; ninguém vem ao Pai, senão por mim.

(João 14 1:6)

Sumário

17 | PREFÁCIO

31 | A COLÔNIA AMOR E CARIDADE

45 | HOSPITAL AMOR E CARIDADE

67 | O REENCONTRO

79 | LOANDA

91 | JEAN PIERRE

97 | CASO 1

111 | CORPOS SUTIS

127 | PAULO

143 | CASO 2

159 | LOURENÇO

177 | DE VOLTA A Deametria

183 | YASMIN

195 | EGITO

> A missão do médium é o livro.
> O livro é chuva que fertiliza lavouras imensas,
> alcançando milhões de almas.

Emmanuel

Prefácio

Era uma tarde de novembro, após um dia cansativo de trabalho, quando resolvi sair mais cedo do meu escritório e ir para casa descansar.

Passei em uma padaria próxima a minha casa e comprei pães frescos e alguns pães de queijo para a minha esposa, que tanto amo.

Ao chegar em casa, fiz um café, sentei-me e lanchei sozinho. Após a rápida refeição, dirigi-me ao meu quarto para descansar um pouco, pois estava exausto naquele dia, e logo me deitei.

Liguei a televisão e, imediatamente, percebi a presença dos meus amigos espirituais. Era Daniel que aproximava-se de mim. Ao seu lado, meu amado mentor Rodrigo e nossa querida, Nina Brestonini.

Sentei-me na cama para conversar com eles. Eu fiquei muito feliz com a presença de Nina, pois já havia algum tempo que não nos encontrávamos.

Após controlar a minha emoção e refazer-me, eu agradeci àquele momento a Deus, agradeci por me permitir, mais uma vez, tão honrado encontro.

Fiz uma pequena prece mental de agradecimento, e logo, Daniel começou a conversar comigo.

– Olá, Osmar.

– Oi, Daniel, como é bom ter vocês aqui.

– Nós também estamos felizes, Osmar. – disse Nina, estampando em seu belo rosto, um sorriso amoroso.

– Temos novidades, Osmar. – disse Rodrigo, colocando-se ao meu lado.

– Estou pronto para o serviço, meus amigos.

– Osmar, você tem caminhado em conformidade com sua encarnação, e isso, o premia. – disse Daniel.

– Que bom, Daniel! Eu fico muito feliz.

– A encarnação tem objetivos e você vem seguindo de forma satisfatória a todos nós. Isso te premia e, ao mesmo tempo, nos alegra poder partilhar de sua evolução. – disse Nina.

A emoção tomou conta de mim mais uma vez, e não contive as lágrimas de felicidade.

Nina aproximou-se ainda mais de mim, e sentou-se ao meu lado. A emoção só aumentou.

– Não fique assim, Osmar. – pediu a amada Nina, segurando as minhas mãos, que trêmulas, suavam.

– Perdoem-me. – disse-lhes.

– Não tens que pedir perdão. O que agora lhe será revelado é merecimento pelo seu empenho e determinação, por ter materializado o que solicitamos.

Eu tinha acabado a construção do Hospital Espírita Amor e Caridade e Aruanda do Caboclo Ventania, após longos nove anos de trabalho e dedicação total ao projeto Amor e Caridade.

– Eu é que sempre serei grato pela oportunidade de amparo a todos que são assistidos nos projetos aos quais vocês me permitiram realizar. Não foi fácil, como vocês puderam ver, mas com determinação e a ajuda de pessoas caridosas, conseguimos atender ao que me fora solicitado.

– Na verdade, sua coragem para lutar, sua humildade em aceitar os desafios que foram apresentados, lhe presenteiam com tudo o que iremos contar neste livro. Além, é claro, da superação dos julgamentos e das horas difíceis que você enfrentou em nome do amor. Saiba Osmar, que nunca estiveste sozinho. Foram muitas noites de assistência lhe fortalecendo a alma, para que você não desistisse. Trabalhamos muito afastando energias negativas e obsessores, que se colocavam a sua frente intencionados em te fazer desistir do projeto.

– Quando o trabalhador se propõe a fazer o bem, ele sofre pela incompreensão e pela inveja daqueles que ainda são incapazes de compreender o amor. Você foi e está sendo forte, e isso, é bom. – disse Rodrigo.

– Sou grato a todos vocês que sempre estiveram ao meu lado, amparando-me nas horas mais difíceis da minha vida mediúnica. Tenho certeza de que as dificuldades me auxiliaram muito, pois foram elas que me impulsionaram a não desistir, foram as mentiras a meu respeito que me fortaleceram e me permitiram mostrar que todos estavam enganados. Sou muito grato a todos vocês por terem permitido essa experiência. Se eu tivesse que procurar palavras para expressar a minha gratidão, certamente, eu não as encontraria, pois elas ainda não existem.

Quero agradecer a vocês, não estou bem certo de quem foi que sempre me presenteou com ensinamentos profundos, mas, foram esses ensinamentos que me incentivaram, e que não me permitiram desistir. Tenho a certeza de que fui intuído por algum espírito, a buscar literaturas que me direcionaram o tempo todo, além, é claro, das psicografias, as quais aprendo muito em cada livro, em cada linha.

Foi seguindo o exemplo de abnegados operários do amor, que eu consegui realizar o projeto.

Lembro-me que, certa vez, eu estava muito desmotivado e sem nenhum recurso para as obras do nosso hospital, foi quando uma grande amiga me presenteou com um livro, que conta a história da construção do Lar de Frei Luiz. Aquele livro mudou totalmente o meu caminho. Tomei coragem e segui em frente, mas sempre que minhas pernas fraquejavam, eu buscava no evangelho de Jesus, as muletas para que eu pudesse transpor as estradas difíceis que se apresentavam a minha frente. Não foi fácil, aliás, não é fácil.

Jesus sofreu muito para nos dar uma direção. Foram momentos muito difíceis, mas Ele não desistiu de nós, deixou-nos o evangelho, para que possamos, por meio de suas palavras, modificar todo o nosso ser. Cada parábola, cada linha dos ensinamentos de Jesus, me direcionam e me fortalecem para continuar caminhando. Além, é claro, do aprendizado ao lado de vocês nas obras em que psicografo.

Naveguei em mares bravios, seguro no leme do amor, pois aprendi, que sem amor, somos como pedras ocas, sem sentido, sem valor, sem utilidade. Aprendi que quando cremos em nosso propósito, todo o Universo estará ao nosso lado, e foi graças a tudo isso, que chegamos aonde estamos.

Lapidei em mim, as dúvidas, as incertezas, a insegurança, e retirei de minha alma tudo aquilo que podia me fazer desistir.

Desprendi-me de todos os bens materiais, pois eles nos atrapalham muito. Só vocês e eu sabemos tudo o que eu

tive que superar e modificar em mim. Quantas vezes ouvi coisas que me feriram a alma, que dilaceraram o meu coração, mas calei-me, pois, eu sabia e sei, que temos muito mais do que uma simples vida. Superei todos os limites para realizar os projetos que a mim foram apresentados por vocês. Sinto-me cansado, porém, feliz, pois o que fizemos juntos, ajuda muita gente, e eu aprendi com Jesus que nunca devemos desistir de ajudar a todos aqueles que batem a nossa porta, pois se essa oportunidade foi dada a mim, é porque sou capaz.

– Osmar, a vida é muito mais do que vocês pensam. A encarnação é instrumento evolutivo do espírito, e você compreendeu isso, o que muito nos deixa feliz. – disse Rodrigo.

– Certamente, Rodrigo, se você não estivesse ao meu lado, eu não haveria conseguido.

– O que todos vocês têm que compreender, é que nada está ao acaso, todo espírito encarnado tem algo a fazer, e você conseguiu superar todos os obstáculos, o que traz méritos a sua evolução. – disse Daniel.

– Osmar, nós fizemos a nossa parte, e estamos felizes que você conseguiu fazer a sua. – disse Nina.

– Sou e serei eternamente grato pela oportunidade. Espero, sinceramente, que meu esforço não tenha sido em vão, só vocês e Deus sabem o que tive de superar para materializar essa obra de caridade. Foram momentos de sofrimento e solidão, mas sempre que me sentia sozinho, vocês se apresentavam e enchiam-me de esperança e fé. Essa não é uma obra de Osmar Barbosa, é uma obra de Amor e Caridade, de todos nós.

– Estaremos sempre ao seu lado, fique tranquilo. O seu esforço pode não ser reconhecido pelos homens, mas ele é reconhecido por nós. – disse Daniel.

– Obrigado de coração, Daniel.

– Você ainda tem um longo caminho a percorrer, e eu estarei sempre ao seu lado. – disse Rodrigo.

– Vocês querem acabar comigo...

As lágrimas desciam pelo meu rosto cansado, eu estava envolvido em um turbilhão de emoções.

– Não fique assim, Osmar. Alegre-se, você conseguiu!

– Irei me recompor, Nina. Só preciso de alguns segundos.

Após alguns minutos, consegui refazer-me daquele momento. Tenho certeza de que nunca esquecerei tudo o que passei para estar onde estou. Agradeço a tudo o que tive que enfrentar, principalmente, aos momentos ruins, pois foram eles que me fortaleceram e me tornaram a pessoa que sou hoje. Agradeço às pessoas que estiveram ao meu lado e que me deram força, agradeço, também, àqueles que desistiram no meio do caminho e se foram, espero um dia poder abraçá-los novamente, e agradecer por cada segundo de dedicação a nossa obra de caridade.

Temos o direito de duvidar, de questionar e de errar, eu sei que as coisas são assim. Nós somos os únicos responsáveis por nossa caminhada.

Todos os dias recebemos uma página em branco no livro da vida, o que escrevemos nela é de nossa inteira responsabilidade, eu compreendi isso há bastante tempo, e procuro escrever cada linha da minha vida com palavras claras, objetivas, sinceras e com amor, acredito ser esse o meu merecimento. Depois que comecei a agir assim, tudo mudou em minha vida.

Após alguns minutos, perguntei:

– Vamos lá meus amigos, o que temos para contar agora?

– Nós vamos te levar ao lado sul de nossa Colônia, um lugar que você ainda não conhece e nunca visitou. Temos algo muito importante para revelar a todos que acompanham o seu trabalho. – disse Daniel.

– Que bom, Daniel.

– Você está pronto?

– Sim. Vou imediatamente para o escritório para começarmos essa psicografia.

Mas, antes, posso perguntar uma coisa a vocês?

– Sim. – disse Rodrigo.

– O que irei ver agora?

– Osmar, como você sabe, a nossa Colônia tem fins específicos, como todas as Colônias. Tratamos de crianças que desencarnam vítimas de câncer, trabalhamos em várias Casas Espíritas, amparando médiuns em suas tarefas evolutivas.

Temos núcleos de resgate no Umbral, e somos uma Colônia com ligações diretas com os hospitais espirituais terrenos, com os Centros Espíritas que realizam cirurgias espirituais e trabalhos desobsessivos, ou seja, estamos nesse trabalho há bastante tempo.

Desenvolvemos várias atividades de amparo e auxílio às Casas Espíritas, a maioria que carrega o nosso nome, além de outras, também.

O que você ainda não tinha visto é o Hospital Amor e Caridade. Esse hospital é para onde levamos pacientes desdobrados, e onde cuidamos de espíritos que resgatamos das regiões de sofrimento. É lá que realizamos os tratamentos necessários à cura e ao equilíbrio, preparando assim, nossos irmãos para novas oportunidades evolutivas.

Nesse hospital você poderá acompanhar tudo o que é feito pelo amor ao próximo. Além, é claro, de conhecer algumas técnicas usadas por nós há muito tempo, e que agora, serão reveladas por você e por outros médiuns, que já começaram a escrever sobre o tema. Você verá, também, os equipamentos que são utilizados aqui, e os que são levados para os tratamentos nas Casas Espíritas.

Você já esteve no hospital do Franz em nossa Colônia. Ele faz um tipo de trabalho que é muito importante, não tenha dúvida disso.

Porém, o que iremos te mostrar agora, está além da compreensão de muitos médiuns e dirigentes de Casas Espíritas. É um trabalho específico, objetivando auxílio aos pacientes que estão encarnados, desencarnados e em dimensões de sofrimento. Na verdade, é a medicina do futuro.

– Em um futuro bem próximo, todos os Centros Espíritas dedicados ao amparo e ao auxílio de espíritos, aplicarão essas técnicas para tratar nossos irmãos encarnados e os desencarnados, pois todos são merecedores do amor. – disse Daniel.

– Qual é o nome desse hospital?

– Hospital Amor e Caridade, como dissemos acima.

– Esse realmente eu ainda não conheço.

– Tudo tem um tempo certo para acontecer e para ser revelado, Osmar, e acontece devido ao nosso merecimento. Toda vez que o seu intelecto se eleva e sua moralidade é conquistada, descortinam-se muitas possibilidades na vida eterna e na vida espiritual. – disse Nina.

– Quer dizer que se eu não melhorar o meu intelecto e a minha moral, não acessarei mais as informações que me elevam?

– Intelecto e moralidade são os atributos mais importantes ao espírito em evolução. São virtudes necessárias a todos os espíritos. Toda vez que você evolui moralmente e intelectualmente, você se eleva nas esferas superiores, e toda vez que você se eleva, mais coisas lhe serão mostradas, lembradas e reveladas. Assim é, também, com a encarnação.

– Merecimento.

– Isso, Osmar, a evolução só depende de você. Só dependem de você, as novas conquistas.

– Não é nada fácil, Nina.

– Disciplina, Osmar... disciplina. – disse Rodrigo.

– É verdade, mas acho que sou bem disciplinado.

– Temos certeza disso. – disse Daniel.

– Se você não fosse um médium disciplinado, acho que não estaríamos tendo essa conversa nesse momento, afinal, foi por meio da disciplina que você conseguiu atender aos nossos objetivos, e é por ela que estás onde estás nesse momento.

– Obrigado, Daniel.

– Não agradeça, escreva.

– Vocês sempre com essa frase.

– Escreva, Osmar. – disse Nina, carinhosamente.

– Deixa eu me arrumar e ir para o escritório, estou muito ansioso para conhecer esse lugar.

– Você ficará muito feliz com tudo o que iremos revelar.

– Com certeza.

– Estamos indo para lá, vamos te esperar, não demore. – disse Rodrigo.

– Já vou...

Eu me arrumei rapidamente e dirigi-me ao escritório, onde faço as psicografias. Cheguei ao local após 20 minutos, e lá estavam eles me aguardando.

Meu coração estava acelerado. O que seria revelado a mim nessa psicografia?

O que teríamos a revelar? O que faz o Hospital Amor e Caridade?

Qual será a técnica que nossos amigos têm para me mostrar? Equipamentos? Como assim?

Por que Nina, Daniel e Rodrigo? O que eles têm para me contar?

> *Há mais mistérios do que possamos imaginar nas coisas de Deus.*

Osmar Barbosa

A Colônia Amor e Caridade

Sentei-me, organizei os papéis e fiquei esperando a aproximação.

Finalmente, tudo começou e eu estava novamente ao lado de Daniel, Nina e Rodrigo, feliz e ansioso, como sempre.

Desdobrado por eles, fui levado à Colônia Espiritual Amor e Caridade e, logo que chegamos, Daniel levou-me ao seu gabinete.

No caminho à sala de Daniel, reencontrei alguns espíritos amigos e fiquei extremamente feliz.

Sentamo-nos, Rodrigo, Nina e eu nas confortáveis poltronas em frente à mesa de Daniel.

O lugar é muito bonito. A sala onde Daniel dirige toda a Colônia é muito aconchegante. Há uma enorme mesa e por detrás dela, uma tela na qual pude ver algumas vidas nas psicografias anteriores. Há plantas que harmonizam o ambiente, e um pequeno oratório em um canto mais afastado.

– Está pronto, Osmar?

– Sim, Daniel.

– Antes de começarmos essa psicografia acho de suma importância que você relate a seus leitores o que é uma Colônia Espiritual, o porquê foi criada e seus objetivos.

– Prontamente, Daniel.

– Escreva, Osmar. – disse, carinhosamente, a Nina.

– Vamos lá.

– Existem, no mundo espiritual, cidades espirituais; alguns chamam essas cidades de Colônias Espirituais, outros, de Mundos Transitórios, e por aí vai.

A Colônia Espiritual Amor e Caridade, fica dentro da Colônia das Flores, que é uma das Colônias Espirituais mais antigas e maiores instaladas sobre o Brasil.

Ela fica acima do Estado de Santa Catarina, adentra aos Estados do Paraná, Mato Grosso do Sul e um bom pedaço do Estado de São Paulo. Como todos podem ver, a Colônia das Flores é bem grande.

A Colônia Amor e Caridade foi criada há pouco tempo, há cerca de 120 anos. Seu objetivo é oportunizar a alguns espíritos a seguirem com seus aperfeiçoamentos e evolução.

A Colônia das Flores é especializada no atendimento às pessoas que desencarnam vítimas de câncer.

A Colônia Amor e Caridade também tem por especialidade socorrer as crianças vítimas da mesma doença. Além disso, ela é uma Colônia que auxilia alguns Centros Espíritas instalados no Orbe terreno; alguns mentores dessa Colônia auxiliam médiuns a desenvolverem um trabalho de orientação, auxílio, amparo e conscientização da vida eterna com os doentes que são levados a esses Centros Espíritas. Tudo comunica-se entre si, segundo esses amigos. Misericórdia divina, dizem eles!

– Não é isso, Daniel?

– Sim, Osmar. Prossiga!

– Vou falar um pouco de você, tudo bem?

– Sim.

– Daniel é o presidente da Colônia Espiritual Amor e Caridade. Ele foi Frei e viveu no Brasil há cerca de cem anos. Hoje, preside esta divina Colônia com muita competência e amor.

Há, atualmente, no nordeste do Brasil, onde Daniel viveu, um movimento católico para sua canonização. Você sabe disso, Daniel?

– Sim, Osmar, e sinto-me lisonjeado com a homenagem.

– O que é para um espírito ser canonizado, Daniel?

– Uma honraria. Ser reconhecido é bom em qualquer lugar. Eu fico muito feliz pela iniciativa de meus confrades, mas isso não muda muito a minha caminhada.

– Eu pensei que ser Santo mudaria alguma coisa.

– Não, realmente não muda nada. O homem deve ser reconhecido por sua obra, por aquilo que fez de bom quando esteve encarnado, como é reconhecido aqui, por tudo o que faz. Isso é bom. Ser reconhecido realmente me deixa emocionado e feliz, mas pouco muda a minha condição espiritual. O que mudam a nossa condição espiritual, Osmar, são as transformações que promovemos em nós. As lembranças e homenagens são bem-vindas, mas como disse, em nada mudam o meu Ser espiritual.

– Que bom, Daniel.

– Osmar, fale um pouco sobre você, sobre a sua mediunidade e sobre o desdobramento, por favor. – pediu Rodrigo.

– Sim, claro.

Sou médium, escritor e trabalho há, aproximadamente, 35 anos como dirigente de Centro Espírita.

Nós, médiuns, temos algumas formas de expressar a mediunidade, e a minha é expressada de quatro formas diferentes, são elas: vidência, desdobramento, psicografia e psicofonia. As que mais utilizo são: Desdobramento e psicofonia.

Primeiro, vou explicar o que é desdobramento e, depois, vou falar um pouco sobre a mediunidade de desdobramento.

– Vá em frente. – disse Nina.

– Desdobramento é a capacidade que todo ser humano possui de projetar a consciência para fora do corpo físico, utilizando-se dos corpos sutis de manifestação. O desdobramento pode ocorrer durante o sono, no transe, na síncope, no desmaio, na hipnose ou sob influência de alguns medicamentos. É isso, Nina?

– Sim, Osmar. Prossiga!

– Já a mediunidade de desdobramento, é a capacidade que o médium tem de se afastar do corpo temporariamente, ficando ligado a ele por meio de laços fluídicos. Ou seja, é a capacidade que o médium tem de ir à lugares físicos ou espirituais, estando acordado e em transe.

É durante o desdobramento que psicografo os meus livros.

Eu agradeço muito a Deus por essa oportunidade, embora, seja uma missão e não um privilégio.

– É isso, Rodrigo?

– Sim, Osmar.

– Fale um pouco mais, por favor!

– Sim, claro. É durante o desdobramento que eu me encontro com os espíritos, assim como estou agora. Visito Colônias Espirituais, viajo através delas, e assisto a tudo o que escrevo. É durante essa experiência que os espíritos conversam comigo.

– Muito bom, Osmar. – disse Daniel.

– Mas, durante o desdobramento podemos fazer muita coisa. – disse Rodrigo.

– Sim, creio que sim.

– Osmar, nessa obra vamos mostrar e falar mais um pouco sobre o desdobramento. Como ele acontece, como deve ser feito, a importância do tratamento com o Ser encarnado desdobrado, e muito mais.

– Nossa! Que bom, Rodrigo.

– Explique a psicofonia, Osmar, por favor!

– Sim, claro. Psicofonia é um tipo de mediunidade muito comum. É a capacidade que o médium tem de permitir que os espíritos se expressem pelo aparelho fônico do médium, ou seja, é a incorporação, em que o espírito comunicante se aproxima do médium, que expande seu períspirito permitindo esse enlace, onde as manifestações e as comunicações acontecem.

– Muito bom, Osmar!

Naquele momento, eu ouvi algumas batidas suaves à porta de entrada da sala de Daniel.

– Entre. – disse ele, gentilmente.

Era o Marques que acabara de chegar.

Marques é o auxiliar de Daniel. É ele quem organiza tudo para o nobre mentor. Um secretário que está sempre muito preocupado com o Daniel.

– Olá, Marques!

– Olá, Osmar. Que bom revê-lo aqui.

– Eu é que agradeço a vocês por mais essa oportunidade.

Marques sorriu para mim e, ao aproximar-se, entregou um papel nas mãos de Daniel.

– Aqui está Daniel. – disse entregando o documento.

Daniel abre a folha e lê seu conteúdo.

– Que ótimo! – disse.

Após alguns minutos de silêncio total na sala, ele se expressa.

– Está tudo pronto, Rodrigo e Nina. Todas as autorizações nos foram concedidas. Agora vocês podem levar o Osmar para a primeira revelação.

– Sim, Daniel. – disse Nina, colocando-se de pé.

O gesto é repetido por Rodrigo.

Todos de pé e eu ali, sentado, esperando algo acontecer.

Rodrigo olha para mim e sorri dizendo:

– Você não vai, Osmar?

Rapidamente, coloquei-me de pé meio envergonhado.

Há um ar de sorriso em todos.

– Venha Osmar, vamos. – disse Marques, dirigindo-se à porta principal.

Olhei para Daniel e me despedi.

– Obrigado, Daniel!

– Vá, Osmar, e escreva tudo o que lhe for permitido. Preste atenção aos detalhes, eles são muito importantes.

– Sim, pode deixar.

Caminhamos Nina, Rodrigo e eu, seguindo o Marques, que nos levava para fora do prédio da administração, onde ficam os dirigentes da Colônia.

A Colônia Amor e Caridade é linda, as alamedas são floridas e há vários prédios, como já citei nos livros anteriores.

Nina tinha muita dificuldade de caminhar conosco, pois, várias vezes, era parada pelos espíritos que transitavam, assim como nós, pelas longas e lindas alamedas floridas de Amor e Caridade.

Rodrigo estava muito bem vestido naquele dia. Ele vestia uma calça branca, uma camisa de mangas compridas, também branca, e usava uma sandália que eu nunca tinha visto ele usar.

Nina usava uma bata azul-clara, que lhe cobria todo o corpo.

Marques usava uma batina na cor branca, que só deixava à mostra uma sandália do tipo franciscana, de cor bege.

O Sol alaranjado clareava toda a Colônia e enfeitava as árvores de folhas coloridas.

Caminhamos durante algum tempo, até que eu pude perceber que todas as árvores passaram a ser amarelas.

Pareciam ipês-amarelos, mas não os eram. Eram lindas!

Permaneci calado, achei oportuno o meu silêncio, assim eu poderia relatar tudo o que estava vendo naquele momento.

Até que chegamos a um grande muro branco.

Havia um portão de grades, de cor verde-claro. De pé, em frente ao portão, havia dois rapazes nos esperando.

Lentamente, nos aproximamos.

Os rapazes sorriram com a nossa chegada. Demonstravam muita felicidade.

– Sejam bem-vindos meus amigos. – disse o primeiro.

– É uma honra tê-los aqui. – disse o outro, assim que nos aproximamos.

– Como vai, Jonatas? – disse Nina.

– Eu estou ótimo, Nina, e você?

– Feliz! – disse a iluminada.

Rodrigo abraça os rapazes. O mesmo gesto é repetido por Marques.

– Seja bem-vindo, Osmar. – disse Jonatas, apertando a minha mão.

– Este é o Lúcio, Osmar. – disse Marques, apresentando-me ao outro rapaz.

Lúcio me abraça com ternura, após abraçar Marques.

Meu coração estava feliz.

Lúcio era bem jovem, aparentava uns vinte e cinco anos, e Jonatas, um pouco mais velho, aparentava uns trinta .

Eles estavam vestidos com uma calça comprida branca, e um jaleco, também branco, que cobria-lhes o corpo até os joelhos. Eles usavam uma camiseta branca por baixo do jaleco.

No lado direito do jaleco havia um bolso, e nele eu pude ver um símbolo, no qual era possível ler: Hospital Amor e Caridade. As letras eram azuis e o símbolo arredondado.

Jonatas abriu o portão lentamente, e acredito que fez isso de propósito, para que eu pudesse desfrutar e relatar aquela linda visão.

– Venham, vamos entrar. – disse o rapaz.

Minhas pernas recusaram-se a caminhar. Eu fiquei maravilhado com a beleza do lugar.

Eu pude perceber que tratava-se de um grande hospital. O prédio, de cor bege, parecia um grande e antigo templo romano.

Ao me aproximar, percebi que todo o prédio era revestido de mármore. Na frente, vi enormes colunas, e a fachada do prédio tinha uma altura, aproximada, de 30 metros.

Colunas de granito sustentavam os enormes pilares em frente à antiga construção.

Na entrada principal, havia uma escada ovalada, a qual permitia o acesso a todos que ali chegavam.

As laterais do hospital eram harmonizadas com jardins de flores multicoloridas. Havia, ainda, nas duas laterais, um caminho que parecia levar a outros prédios menores, que encontravam-se atrás do hospital. Prédios de apoio, pensei.

Tudo era muito bonito e grande, e parecia tratar-se de um lugar onde centenas de espíritos são acolhidos e tratados.

Existia ali, também, uma grande área coberta por parreiras que pareciam ser de uvas. Embaixo delas, havia bancos na cor branca, nos quais espíritos descansavam à sombra do local.

Eu pude ver vários espíritos sentados ali. Eles conversavam alegremente.

A pequena rua, que nos levava ao prédio do hospital, era de pedras brancas, colocadas de maneira uniforme, o que embelezava ainda mais o lugar.

Fiquei ali, por alguns minutos, gravando tudo em minha mente, pois não queria perder nenhum detalhe daquele que, até esse momento, é o lugar mais lindo que já vi na vida espiritual.

Nina aproxima-se de mim.

– Vamos, Osmar?

– Perdoe-me Nina, mas que lugar bonito.

– Sim, esse hospital é especial para nós.

– Mas, é muito bonito.

– Tudo aqui é muito bonito, Osmar.

– Sim, mas esse bateu recorde!

– Que bom que você gostou. – disse Nina.

– Vamos, Osmar. – disse Rodrigo, me apressando.

– Perdoem-me.

Jonatas e Lúcio estavam mais à frente, pacientemente, nos esperando.

Tomei ar e comecei a caminhar em direção à grande escadaria que dá acesso ao hospital.

Caminhei lentamente, observando cada detalhe, para relatar neste livro. Os jardins me encantaram, tamanha é a beleza das plantas e flores que enfeitam o hospital.

Havia flores minúsculas, dispostas em um outro jardim, bem em frente ao prédio, tornando o lugar harmonioso e encantador. Duas meninas e dois meninos brincavam no gramado ao lado.

Eu me impressionei muito quando vi um enorme cachorro branco brincando com aquelas crianças. Eles atiravam um pedaço de pau, o qual o animal corria para pegar e levava de volta, para a alegria de todos.

Fiquei realmente muito impressionado com tudo aquilo.

– Venha, Osmar. – insistia Nina.

Apressei-me para não mais atrasar os meus amigos.

Chegamos, finalmente, à enorme escadaria, e ao me aproximar, pude perceber que ela era feita de mármore, mas um mármore que eu nunca tinha visto. Era rosado.

As pedras cintilavam aos raios do Sol alaranjado.

Eu pude ver no meio da entrada principal, no alto do prédio, o mesmo símbolo que os jovens carregavam em suas vestimentas.

Eu estava na entrada do Hospital Amor e Caridade.

Meu Deus, como és grandioso! – pensei, emocionado.

Por alguns minutos, nós cinco ficamos ali de pé, olhando aquela maravilha espiritual.

Marques aproximou-se de mim e disse:

– Osmar, deixo vocês agora. Cumpra seu papel e relate tudo com suas palavras.

– Gratidão por essa oportunidade, Marques!

– Siga em frente, Osmar.

Após despedir-se de todos, Marques nos deixou, voltando pelo caminho que havíamos feito para chegar ao hospital.

Olhei para ele se afastando, e lembrei-me dos ensinamentos que esse amado espírito já me deu.

Gratidão, Marques!

> *A vida não se resume a esta vida!*

Nina Brestonini

Hospital Amor e Caridade

Subimos, lentamente, os degraus que nos separavam da entrada principal do hospital.

As portas eram de madeira branca, bem altas, e deviam ter uns seis metros de altura. Abriam-se em duas grandes portas e tinham o símbolo do hospital talhado na madeira. Não estou bem certo se eram de madeira.

O piso da recepção era de mármore branco, muito branco. Tudo lá é muito limpo e organizado.

Logo na entrada, havia um grande balcão em forma oval, que acompanhava a escadaria da entrada. E, acima desse balcão, eu pude ver uma linda e enorme pintura de Jesus, socorrendo os espíritos em sofrimento no Umbral. Fiquei parado ali por alguns segundos, observando aquela linda e impressionante obra de arte. Ela devia ter uns seis metros de comprimento por uns quatro metros de largura.

Haviam vários espíritos trabalhando detrás daquele enorme balcão. Nas laterais, enormes poltronas e cadeiras brancas organizavam os espíritos, que pareciam esperar para serem atendidos ou aguardavam por notícias de pacientes ali internados.

Jovens, mulheres, idosos, todos sentados em silêncio, esperando. Algo que eu só pude compreender depois.

– Venha, Osmar. – disse Nina, apressando-me.

– Entramos por um corredor à esquerda e chegamos a uma sala, onde pude ler, em uma placa colocada no meio da porta, a seguinte indicação: Triagem.

Jonatas abriu a porta para que todos pudéssemos entrar. A sala era toda branca e havia uma enorme mesa redonda, como aquelas de reunião com, aproximadamente, quinze lugares.

Fomos convidados a nos sentar.

Em cada lugar, havia uma pequena jarra com água, um copo limpo, um bloco de papel e um lápis.

Nos sentamos.

Sentei-me ao lado de Nina, e Rodrigo, ao meu lado.

A nossa frente, sentaram-se Jonatas e Lúcio.

– Vamos esperar um pouco, ele já está vindo. – disse Lúcio.

– Está bem! – disse Nina.

Eu permaneci calado. Tudo aquilo era muito impressionante.

A sala era toda janelada e as janelas iam do teto até bem perto do chão. Haviam ainda alguns vitrôs com imagens de anjos.

A iluminação era perfeita, com várias luminárias que desciam do pé-direito da sala, que era muito alto, e posicionadas estrategicamente sobre a mesa de reunião em que estávamos.

Porém, quem é que estávamos esperando?

Após algum tempo, eu resolvi quebrar o silêncio perguntando.

– Quem estamos esperando?

– Estamos esperando pelo Lourenço, é ele quem irá explicar-lhe tudo o que acontece aqui, Osmar.

– Ok. – disse.

– Quer um pouco de água? – ofereceu-me Lúcio.

– Não, obrigado.

Eu pude ver nas paredes daquela linda sala, alguns quadros com nomes de médicos famosos, e dentre os que eu consegui identificar, havia um quadro do Dr. Bezerra de Menezes, um do Dr. André Luiz, outro do Dr. Franz, um da Dra. Sheila, e mais alguns outros que não consegui identificar, pois, finalmente, o nosso anfitrião acabara de adentrar à sala.

Eu vi diante de meus olhos um homem alto, todo vestido de branco, e sua aura iluminou toda a sala. Simpático, ele cumprimentou a todos, especialmente a Nina, a qual foi conferido um caloroso abraço.

Todos ficaram de pé para receber aquele espírito iluminado.

Ele aproximou-se de mim e estendeu a sua mão direita, a qual fiz questão de apertar e, logo em seguida, beijei-lhe as mãos, gesto repetido por ele, demonstrando extrema humildade.

Lourenço vestia uma roupa toda branca, com o símbolo do hospital bordado no bolso de seu jaleco.

Eu fiquei muito envergonhado naquele momento.

– Sentem-se meus amigos.

Sentamo-nos, obedecendo rapidamente a solicitação.

– Já ofereceram água para os nossos convidados, Jonatas?

– Sim, doutor.

– Estou muito feliz em revê-los, Nina e Rodrigo.

– Nós é quem agradecemos a oportunidade de poder revelar o nosso querido hospital a todos.

– Já estava na hora. – disse o iluminado.

– Este é o rapaz que materializou o trabalho de vocês no plano físico?

– Sim, ele é o Osmar.

– Quero agradecer-lhe por sua determinação, Osmar.

Fiquei calado, sem conseguir falar. A emoção tomou conta de mim novamente naquele momento. Cheguei a ter um nó na garganta.

– Está tudo bem com você?

– Ele está emocionado. – disse Nina.

– Nós também ficamos muito emocionados quando você conseguiu inaugurar o hospital no plano terreno.

– Vocês estavam lá? – perguntei.

– Sim, foi uma festa para todos. Afinal, lutamos muito para que você conseguisse. Não foi fácil, sabemos disso. Mas, o seu amor e caridade fortaleceram todas as estruturas necessárias para que o hospital fosse plasmado no plano físico.

Ele é um pouco diferente do que necessitávamos, mas, aos poucos, você conseguiu nos sintonizar, e tudo deu certo. Parabéns, Osmar!

– Meu Deus! – disse.

– Ele está sempre entre nós, Osmar.

– Ele quem?

– Deus. – afirmou Lourenço.

– E eu achando que estava somente com os meus amigos de Amor e Caridade aqui.

– Nós também somos de Amor e Caridade, e é chegada a hora de todos vocês saberem um pouco mais sobre a nossa

Colônia. Sobre o nosso trabalho e, principalmente, sobre esse hospital, o qual dirijo.

– Daniel me disse isso.

– Então, vamos ao trabalho?

– Sim, estou pronto para o serviço.

– Que bom, Osmar, e parabéns ao Rodrigo, por ter tido êxito na condução mediúnica de seu assistido.

– Obrigado, Lourenço! – disse Rodrigo.

Eu pude ver um pouco de emoção em meu mentor naquele dia, e fiquei mais emocionado ainda.

– Eu te aconselho a beber um pouco de água, Osmar. – disse Lúcio.

– É o que vou fazer.

Peguei o copo a minha frente, enchi com aquela água cristalina e bebi lentamente. E, após uma pequena pausa, disse:

– Estou pronto meus amigos.

– Então, vamos lá! – disse Lourenço.

– Osmar, este hospital está preparado para a união da medicina terrena com a medicina espiritual. Estamos trabalhando aqui há bastante tempo, para que a medicina dos homens compreenda que a medicina espiritual é a realidade que falta nos tratamentos oferecidos na vida corpórea.

Estamos ligados à criação e ao Criador, e a criatura precisa se encontrar e descobrir-se, para que o sofrimento terreno seja minimizado.

A maioria das doenças que se apresentam no corpo físico, estão relacionadas ao comportamento do espírito na atual encarnação, ou são mazelas que foram contraídas nas existências anteriores, e que começam sempre nos corpos sutis. O duplo etérico é o que mais sofre nesse processo, pois é o defensor de ataques de todas as formas, inclusive, de poderosos obsessores. É ele que dá vida ao corpo, por isso, o mais atacado e que requer mais cuidado.

Os obsessores utilizam em seus ataques, implantes, vermes, estacas, magias, miasmas, entre outros elementos, que explicaremos com mais detalhes, mais para frente.

As doenças podem, ainda, ser atraídas pelo espírito, por meio do comportamento contrário às Leis Naturais do plano em que vivem, pois existe uma Lei Natural em todas as esferas espirituais.

Há centenas de formas de uma doença se instalar, causar dor, deformar e, até mesmo, provocar o desencarne do espírito em provas. Há mais mistérios do que possa imaginar a mente dos espíritos em expiação.

A obsessão, a possessão, a magia, e tantas outras técnicas usadas por espíritos malfazejos, precisam de tratamentos específicos, e sem eles, a humanidade terrena continuará por longos séculos em sofrimento.

Mas, é chegada a Nova Era, a Era da Regeneração, e dentro dela está a ordem para que nos aproximemos e revelemos o que há de mais sutil no espírito.

Este hospital trabalha há milhares de anos, amparando e auxiliando espíritos em sofrimento, em diversas regiões do Universo.

Atualmente, dispomos de dezenove centros de tratamentos diferenciados. Além de um prédio anexo, onde são desenvolvidos, armazenados e disponibilizados os equipamentos necessários ao nosso trabalho.

Cada centro de tratamento tem sua especialidade, embora, estejamos todos em um só hospital.

Tratamos dos corpos sutis nesses centros, pois são neles que instalam-se as doenças antes de atingir o corpo físico, como informado.

Temos aparelhos para a retirada de miasmas, implantes, vermes, estacas, *chips*, e tudo aquilo que espíritos malfazejos experientes conseguem implantar em seus obsedados. São aparelhos de alta tecnologia e, para isso, temos um setor específico aqui.

Nossos pacientes são espíritos de todos os lugares, encarnados ou desencarnados, que são trazidos para os tratamentos que oferecemos em nossos leitos. Tratamos vários tipos de deformidades, sejam elas do espírito ou da matéria, começando sempre pelo duplo etérico ou perispírito, e os corpos sutis.

Funcionamos, também, como escola para outros hospitais em outras Colônias. Aqui recebemos médicos e todo o pessoal ligado à área médica espiritual, tais como, enfermeiros, técnicos laboratoriais, auxiliares, instrumentadores, recepcionistas, auxiliares de enfermagem, terapeutas, fisioterapeutas, psicólogos, psiquiatras, e tantos outros irmãos recém-desencarnados, para estágios e aperfeiçoamento de técnicas, que serão utilizadas em seus núcleos de trabalho, inclusive, em Colônias de outros países.

O intercâmbio e a residência médica são muito comuns aqui. Você poderá encontrar médicos de outros países em nossos corredores ou nas alas de atendimentos.

Nem tudo poderemos revelar nessa psicografia, infelizmente, mas iremos relatar o que nos foi permitido.

Agora, nós poderemos mostrar-lhe como tudo é feito e, a partir dessa obra, aqueles que desejarem se aprofundar nos ensinamentos espíritas, poderão pôr em prática tudo o que aqui for revelado.

Hoje temos, aproximadamente, seis mil pacientes em tratamento. Nossa equipe soma 620 profissionais em todos os setores do hospital.

Estamos, nesse momento, dando todo o suporte ao plano físico, para que seja instalado o processo de Regeneração.

– Sou muito grato por essa oportunidade, Lourenço.

– Não agradeça, escreva.

Calei-me. Mais um que me ordena a escrever...

– Osmar, daqui do nosso hospital partem médicos, enfermeiros, terapeutas, psicólogos, guardiões, e tantos outros amigos, imbuídos em amparar e auxiliar espíritos em sofrimento. Como te disse, no plano físico e nos planos espirituais.

Nosso trabalho é dar cobertura aos trabalhadores da caridade, com o objetivo de sanar os distúrbios espirituais das mais diversas complexidades.

O nosso objetivo, também, é levar até vocês, técnicas e instrumentos capazes de anular a ação maléfica e predatória que algumas criaturas desencarnadas têm sobre os encarnados e sobre os nossos irmãos desencarnados. De uma criatura sobre a outra, entende?

– Sim.

– Nossa ação consiste em capturar almas dedicadas ao mal, tratá-las dos seus males e das deformidades que são portadoras, orientá-las e conduzi-las para locais preparados para recebê-las, a fim de que esses espíritos tenham uma nova oportunidade.

Saiba que os espíritos em obsessão, sejam eles obsessores ou obsedados, sofrem muito, por vezes, nem percebem que estão envoltos nesse processo mútuo, o que facilita o nosso trabalho.

O nosso tratamento se dá através do fluido magnético, assim, tratamos do corpo etérico e dos corpos sutis, reconstruindo-os inteiramente.

Além, é claro, de estabelecer sobre o Orbe terreno, a transformação da medicina de hoje, atualizando-a para a medicina do futuro. Esse trabalho é feito constantemente em médicos espíritas encarnados, envolvidos, direta ou indiretamente, com os tratamentos oferecidos pelas Casas Espíritas.

Muitos espíritos já estão encarnados com essa missão, de levar aos colegas médicos, as técnicas da Deametria e o desdobramento, instrumentos perfeitos para o nosso trabalho, descortinando nas mentes, o futuro da cura física e espiritual.

Quanto a Deametria, muito em breve você vai receber de seus mentores todo o processo para implementação da técnica que será usada no hospital que você construiu e que poderá ser ampliada para tratamento em outros centros espíritas. Vocês espíritas têm que entender que, a passividade sonolenta das Casas Espíritas convencionais, precisa assumir um novo rumo, abrindo um mundo de possibilidades insuspeitas no relacionamento entre os nossos dois planos.

Esse é um trabalho já estabelecido sobre o Orbe terreno, mas o que vocês precisam, é de mais informações. O que iremos mostrar, é como tudo isso funciona, para melhor elucidar as mentes estudiosas.

– Está tudo bem, Osmar? – perguntou Nina.

– Sim, Nina, podemos prosseguir.

– Osmar, o nosso trabalho consiste em capturar obsessores, malfeitores e delinquentes de toda ordem, assim como, subjugar os remíveis magos negros, e neutralizar exércitos arregimentados para a prática de toda espécie de atrocidades.

Temos equipes de guardiões que estão incumbidos de destruir suas bases operacionais, que são muito bem organizadas no Umbral, são verdadeiras fortalezas, donde partem para suas nefastas missões, grandes levas de malfeitores, mas é através da emissão de poderosos fluxos de energia, altamente destrutivas da nossa parte, que chegam até essas organizações.

Igualmente, por meio dessas forças manipuladas pela mente, costumamos anular os trabalhos de imantação magnética inferior da magia negra, fixadas em objetos, tais como, amuletos, estacas, vírus, larvas, vestes da criatura que está com a magia, bem como, alimentos que sub-repticiamente dão para a pessoa visada ingerir.

Trata-se, realmente, de uma guerra.

Guerra contra as Trevas que querem tomar posse integralmente do Planeta; guerra contra o mal organizado do mundo espiritual inferior, sobretudo, agora, momento em que esses seres espiritualmente inferiores, estão sendo intimados a deixarem o Orbe que se regenera.

Faz-se urgente, Osmar, empreender ações muito mais efetivas e objetivas da parte dos trabalhadores da última hora, aliados aos espíritos superiores, de maneira a minimizar os efeitos do mal sobre a sociedade atual.

Há algum tempo nos foi permitido instalar sobre o Orbe terreno, alguns instrumentos eficazes no combate a esses terríveis espíritos dedicados ao mal eterno.

A Deametria é a técnica que recomendamos às Casas Espíritas que estiverem, realmente, imbuídas no amparo ao próximo. Àqueles que tenham a coragem e o amor em seus corações, pois sem amor nada hão de contribuir para o nosso trabalho.

– Eu agradeço por ser o portador dessa mensagem, Lourenço.

– Vamos em frente?

– Sim.

– Vamos falar um pouco mais sobre a Deametria. – disse Lourenço.

– Sou "todo ouvidos" e anotações. – respondi.

– Anote tudo com carinho. – disse Nina.

– Pode deixar. Mas, o que é Deametria?

– Trata-se de uma técnica que capacita os médiuns, para que possam solucionar todos os problemas relacionados à obsessões complexas, mas sem conscientização e espírito de pesquisa, a técnica falhará cedo ou tarde. É muito importante o estudo aprofundado dessa técnica.

Não é para ser usada por qualquer médium. Tem de haver amor e disciplina para que os resultados sejam plenos.

É preciso colocar coração, vida e motivação superior no trabalho, em outras palavras, colocar o AMOR, e é claro conhecer um pouco sobre guardiões.

– Compreendo.

– Sem isso, as campanhas do quilo, os passes, as cirurgias espirituais, os rituais de cura, as benzeções, e etc., serão meras muletas psicológicas, sem eficácia.

– É muito mais que isso, Osmar. – insiste Nina.

– Compreendo. Eu tenho estudado muito sobre desdobramento.

– Sou eu quem intuo seus estudos, Osmar. – disse Rodrigo.

– Essa é a função de um mentor espiritual, Osmar. Os mentores espirituais não estão ao lado de seus protegidos, simplesmente para protegê-los do mal do dia a dia, ou para passar informações sobre o futuro deles, ou pior ainda, se prestarem a ficar fazendo previsões sobre o futuro de seus consulentes, visto que o futuro, é repleto de possibilidades, e que o livre-arbítrio, o modifica a cada decisão, pensamento e atitude.

– Nós, mentores, temos que ir muito mais além do que uma simples proteção. – disse Lúcio.

– Eu sou muito grato a você, Rodrigo, por tudo isso!

– Não agradeça, escreva.

– Osmar, o que todos precisam compreender, é que somos espíritos eternos. Alguns já conseguiram essa compreensão e estão a serviço do outro, e esse é o objetivo maior da Criação.

Lembre-se que a melhor instrução é: amai-vos como eu vos amei.

– Sim, nosso amado Jesus.

– O que todos os trabalhadores do espiritismo precisam entender, é que há bilhões de espíritos orbitando sua dimensão, sem ao menos, compreenderem o que são de verdade. Existem bilhões de irmãos em sofrimento, e o trabalho do Centro Espírita não deve concentrar-se, apenas, em espíritos encarnados, pois o trabalho do espiritismo é muito maior que isso.

O Centro Espírita é um pronto-socorro de almas, sejam elas encarnadas ou vagantes.

Se, para cada espírito encarnado, existem outros sete desencarnados, quem vai ajudar esses sete? Quem evangelizará esses espíritos? Quem auxiliará a compreenderem-se como espíritos que são, e dar a eles uma oportunidade evolutiva?

Por que vocês ficam trancafiados em um ambiente, seguindo escritas antigas que não lhes melhoram em nada?

Por que tanta hipocrisia? Sabes que ela será um grande entrave evolutivo para vocês?

Por que não ouvir outros autores, outras possibilidades? Por que não raciocinar? Fala-se tanto em pensamento livre, e estão presos a velhos ensinamentos, velhas doutrinas, que só fazem atrasar a evolução livre de todos.

Não é certo juntar um grupo de pessoas, e a partir dessa junção, excluírem de seus encontros, pessoas humildes, ignorantes, e espíritos que, supostamente, vocês qualificam como "de baixa vibração". Quem é de "alta vibração"? Por acaso, conheces seu mentor profundamente? Sabes do passado dele? Tens certeza de que estás fazendo a coisa certa?

Tanta hipocrisia. Tantas supostas reuniões espíritas inúteis.

Quanto tempo perdido, desperdiçado pela ignorância e pela preguiça em estudar. Olhem ao seu redor e verão quantos precisam de ajuda.

Querem se destacar entregando aos irmãos, quilos de alimentos, sopas fraternas, roupas usadas, móveis e utensílios reciclados, achando que isso é caridade.

Não se deve dar ao outro o prato feito, e sim, as possibilidades e a capacidade de trabalho, para que ele consiga, por si só, o seu alimento. Isso chama-se dignidade, é isso que o seu irmão precisa.

O melhor presente que um espírita pode dar a um irmão necessitado, é mostrar para ele que somos filhos de um Deus de amor, e que todos podemos nos assentar ao seu lado.

A instrução, o autoconhecimento e a evangelização, ainda são os melhores projetos de caridade.

Não adianta alimentar o físico, se não nutrir o espírito. Quando você alimenta somente o físico, crias ao teu redor um rebanho inútil. Seguidores lesados. Deixas de seguir os propósitos religiosos, deixas de amar como deveis amar o próximo.

Imagina o seguinte, Osmar.

– Sim.

– Você mesmo, que teve um enorme trabalho para construir um grande Centro Espírita, com várias salas de atendimentos, centro cirúrgico, projetos sociais, e tudo mais. Imagina você se prestar a fazer tudo isso e, no final, discriminar esse ou aquele irmão, escolhendo quem poderá ou não frequentar o Centro Espírita? Imagina... se você faz isso no plano físico, o que você não seria capaz de fazer no plano espiritual?

É uma Casa de amparo ou uma extensão de seu ego?

Não percam tempo fazendo a coisa errada. Abram a mente, estudem, vislumbrem todas as possibilidades e aprendam com elas.

Preto velho, caboclo e entidades que trabalham nos auxiliando no equilíbrio e amparo de espíritos sofredores, merecem todo o respeito, e um lugar à mesa do espiritismo. São nossos aliados na Deametria, você vai ver.

Vocês estão cometendo o mesmo erro há mais de dois mil anos, e pior, não aprendem. Insistem em julgar a quem não merece ser julgado. Insistem em mesmices há vários séculos e não aprendem.

Acham mesmo que vocês serão felizes na regeneração? Acreditam que farão parte da regeneração só por que são espíritas? Por que são dirigentes, professores, instrutores, e tantos outros cargos que lhes preenchem os vazios existenciais?

Será mesmo que merecem um lugar dentro da Nova Era?

Sopas, quilos, roupas... Acham mesmo que essas coisas levarão vocês a garantirem um lugar na regeneração?

Parem de julgar, de condenar sem conhecimento, parem de mudar os evangelhos, pois eles já foram profanados há muito tempo.

Olhem-se como espíritos que expiam, para um dia, sentarem ao lado do Pai, como está escrito. Somente aqueles que se enxergarem como espíritos, é que ficarão para o Novo Tempo. O exílio é maciço. Tomem logo consciência disso. Não percam tempo. Não se iludam, modifiquem-se.

Não se enganem e nos auxiliem a salvar almas, sejam elas quais forem, estejam onde estiverem, pois há muitas moradas na casa do Pai.

Sois capazes de auxiliar muito mais, do que apenas terem cargos e poder dentro ou fora do Centro Espírita.

O poder do espírito não está na posição social que ele ocupa, e sim, na luz que vibra a sua volta.

Lembrem-se que quanto maior a responsabilidade, maior o dever...

Hereges são aqueles que usam o nome do Senhor para a prática do mal consciente.

Heresia, é quando recebes essas palavras e fazeis "ouvidos de mercador".

O aviso está dado. Unam-se e amem sem limites, pois só a caridade e o amor poderão salvá-los.

Estamos trazendo as mensagens, avisando e orientando, estamos em todo o Universo para vos salvar.

Temos o dever de salvar os espíritos que ainda não se compreenderam como espíritos. Há milhares ao lado de vocês, que sequer sabem que são espíritos... esses irmãos precisam da nossa ajuda. Precisam de perdão, de amor.

Precisamos evangelizá-los, e fazer com que compreendam que o amor e o perdão são os caminhos que os levarão à felicidade eterna. Nós vamos plasmar a Deametria para que vocês possa usar essa técnica e salvar muitas almas.

A melhor forma de educar, é ser o exemplo.

Essas são as nossas instruções, Osmar.

– Eu agradeço de coração, Lourenço.

– Eu tenho uma sugestão a fazer. – disse Nina.

– O que sugere, querida Nina? – disse Lourenço.

– Em todos os livros que o Osmar escreve, temos por hábito, levá-lo ao local do acontecimento para que ele relate, e assim, consiga passar a instrução aos nossos leitores. Eu sugiro que levemos o Osmar à prática. Que ele acompanhe como tudo é feito, o que vocês acham?

– Ótima ideia, Nina! – disse Lourenço.

– Eu concordo. – disse Rodrigo.

– E você, Osmar?

– Eu concordo também. A prática nos leva à perfeição.

Meu coração disparou naquele momento.

– Muito bom! Vamos fazer assim: tragam o Osmar amanhã, ele será o companheiro de Jonatas e Lúcio na próxima tarefa, assim, ele poderá relatar o que vê. O que acham?

Todos concordaram acenando com a cabeça.

– Combinado. – disse Nina.

– Desculpe, mas poderiam ser mais de uma tarefa? É que eu gostaria de passar aos leitores, o máximo de informações possíveis.

– Faremos assim, você ficará alguns dias ao nosso lado e poderá acompanhar e relatar tudo.

– Obrigado, Lourenço.

– Então nos vemos em breve.

– Até breve, senhores. – disse Lourenço, levantando-se e cumprimentando a cada um de nós novamente.

Após as despedidas, deixamos o hospital, e eu voltei para a minha simples vida, extasiado e ansioso para saber como tudo funciona.

Como agem os espíritos em socorro em uma obsessão?

O que a Deametria faz e pode fazer para salvar almas perdidas nas veredas da obsessão?

> O mal é a inexistência do bem.

Lucas

O reencontro

Passados alguns dias, Nina me procura e, em desdobramento, chegamos ao Hospital Amor e Caridade.

– Você está bem, Osmar?

– Ao seu lado sempre estarei muito bem, Nina.

– Vamos, pois os meninos estão nos esperando.

– Sim.

Caminhamos lentamente, lado a lado, sem trocarmos qualquer palavra. Na verdade, Nina percebeu que eu estava encantado em estar novamente nas alamedas de Amor e Caridade, e deixou-me bem à vontade para admirar toda a beleza do lugar.

Caminhamos até chegarmos à portaria do hospital.

Estavam nos esperando, novamente, Lúcio e Jonatas.

– Bom dia, Lúcio!

– Bom dia, Nina.

– Bom dia, Osmar.

– Bom dia, meus amigos.

Jonatas apertou a minha mão com carinho.

– Vamos entrar?

– Sim. – dissemos.

– Nós vamos levá-los à enfermaria de número cinco. – disse Lúcio.

– Certo. – disse Nina, começando a caminhar ao lado dele.

Andamos pelo extenso corredor onde eu pude ver mais de 20 enfermarias, todas elas numeradas na porta.

O corredor era todo de mármore branco, as portas, também brancas, tinham o número respectivo à sala e, ao lado, o símbolo do hospital.

Jonatas abriu a porta permitindo o nosso acesso à enfermaria de número cinco.

Fiquei muito surpreso ao entrar, pois existem 58 macas nesta enfermaria. Todas suspensas, como aquelas que vimos no filme *Nosso Lar*. Contei, pacientemente, o total de leitos, todos ocupados.

Toda a enfermaria é pintada de azul claro.

Os lençóis brancos cobrem as macas e, outros, os pacientes nelas deitados.

Havia alguns armários encostados nas paredes, todos brancos, de duas longas portas.

Em cada leito, uma luz é focada no paciente. São, na verdade, arandelas direcionáveis que descem do teto diretamente sobre o *chacra* cardíaco do paciente. Eu pude ver cores variadas e cada paciente recebia uma cor específica.

Eu vi alguns pacientes recebendo a luz amarela, outros, luz verde, vermelha, violeta, laranja, e muito mais.

Todo o ambiente é muito bem iluminado. Tudo na cor azul-violeta. Não é muito claro, tem a luminosidade ideal para o repouso e o tratamento.

Eu fiquei parado por alguns segundos registrando tudo em minha mente, eu estava muito preocupado em memorizar todos os detalhes para passar a vocês, como me recomendaram.

Contei 37 espíritos trabalhando naquela linda enfermaria.

Alguns rapazes, e várias moças que pareciam enfermeiras. Todos vestem um uniforme azul-claro, e trazem no bolso de seus jalecos o símbolo do hospital.

Lúcio olhou para mim, e por meio de uma indicação gestual, convidou-me a me aproximar de uma maca.

Percebi que eles evitavam falar, preservando o silêncio, aliás, há várias placas nas quais se pode ler: "O silêncio é uma prece." Há essa placa tanto na enfermaria, como no extenso corredor que dá acesso às enfermarias.

Na parede, ao fundo da enfermaria, tem uma linda imagem de Jesus em pé e com as mãos estendidas, direcionadas às macas postas estrategicamente em sua direção.

Um *spot* de luz dourada destaca a imagem de Jesus naquela parede.

Naquele momento eu não me contive e chorei.

Nina sorriu e me abraçou.

– Não fique assim, Osmar.

As lágrimas não me deixaram responder à Nina naquele instante.

Solucei em lágrimas.

Eu estava muito emocionado.

Lúcio e Jonatas aproximaram-se e todos me abraçaram.

Uma jovem, a qual não pude ver totalmente o rosto, pois ela estava de máscara, aproximou-se de mim e entregou-me um copo com água, que logo bebi, buscando me acalmar. Seus olhos verdes me ajudaram naquele momento.

Após alguns minutos, consegui me controlar.

– Nina, agora eu começo a compreender muita coisa em minha vida. Essa parede é, exatamente, a mesma parede que eu fiz em nosso hospital.

– Ela lhe foi mostrada na clarividência. Nosso intuito é que vocês comecem a acostumarem-se com os hospitais espirituais, temporada certa para a maioria dos espíritos encarnados.

– Mas, é muito igual, Nina. Até a imagem de Jesus é igual.

– Ele lhe foi mostrado, Osmar. – disse Jonatas.

– Meu Deus, eu sinceramente não tenho palavras para agradecer a vocês por tudo o que fazem por mim.

– Deixe isso de lado, Osmar.

– Obrigado, Lúcio.

– De nada.

– Está refeito?

– Sim, Nina.

– Podemos continuar?

– Sim, perdoem-me.

– Venha, Osmar, eu quero apresentar um paciente a você.

– Sim.

Caminhamos em direção a uma maca muito próxima à imagem de Jesus.

Todos os enfermeiros e médicos que estavam ali perceberam a minha presença e, com olhares carinhosos, me cumprimentavam no mesmo instante em que realizavam suas tarefas assistenciais.

Eu estava muito emocionado.

Chegamos ao leito de número 17. Todas as macas têm seu número gravado em uma pequena plaqueta colocada aos pés do paciente.

Lúcio ficou perto da cabeceira da maca.

Jonatas, do outro lado.

Nina e eu, muito próximos a eles.

– Osmar, essa é a Loanda. Ela tem 26 anos de idade. Foi resgatada há poucos dias. Ainda está no sono da recuperação. Em breve, será acordada e conscientizada de sua nova condição.

Todo espírito que chega aos nossos hospitais passa por esse processo. Esse procedimento é realizado em todos os hospitais espirituais de todas as Colônias, não só aqui.

– Acho de suma importância falarmos um pouco sobre o perispírito, o que vocês acham? – questionou Nina.

– Sim, vamos explicar. – disse Jonatas.

– Osmar, o perispírito se une ao ser humano no momento da fecundação do óvulo pelo espermatozoide, e à medida que o corpo se desenvolve, o perispírito acompanha o seu desenvolvimento, conferindo-lhe formas próprias, já predefinidas antes da encarnação.

Essa união entre os três corpos (corpo físico + perispírito + espírito), permanece por toda a vida física do encarnado. Quando a desencarnação do indivíduo ocorre, fica o perispírito ligado ao espírito, conferindo a ele as características visuais da sua última encarnação.

Mais à frente, iremos explicar sobre outros corpos, pois para adentrar o plano físico e nele habitar, são necessários outros corpos, corpos sutis e densos, que irei explicar em outra oportunidade. Mas, essa tríade é a mais importante de todas.

– Certo.

– O perispírito está ligado ao corpo físico encarnado, através de resistentes laços fluídicos, e não dentro do corpo físico, como muitos imaginam.

Ele está localizado bem próximo ao corpo físico. Às vezes, durante o sono, chega a afastar-se para fora do corpo, e tem total liberdade para fazer o que chamamos de viagens astrais ou desdobramentos conscientes, como esse que você usa agora.

– Certo.

– O perispírito acompanha o espírito por toda a sua existência, e é moldado de acordo com a evolução moral do mesmo, e com as características dos mundos onde ele venha a encarnar, ou traz consigo as características de sua última encarnação.

É, ainda, a base para o desenvolvimento do corpo físico no mundo onde ele habita, ou seja, é a matriz do corpo físico. É a partir das definições programadas no perispírito ligado ao óvulo, que o corpo tomará formas próprias.

– Compreendo.

– Podemos representar a função do perispírito da seguinte maneira: Quando o espírito está encarnado, o perispírito serve de ligação entre o espírito e o corpo.

É através dele que passam as sensações que vão do corpo físico para o espírito. As doenças, em sua maioria, quando chegam a manifestarem-se no perispírito, é porque conseguiram passar pelo duplo etérico e, finalmente, manifestam-se no corpo físico. Portanto, as terapias do futuro deverão atuar mais no perispírito e no duplo etérico, muito mais do que no corpo físico. Como assegurou o nosso amado instrutor, Lourenço.

Quando desencarnado, o perispírito continua em sua atividade de corpo envoltório do espírito, e é através dele, que estamos nesse momento nos comunicando com você.

O que você vê, na verdade, é nosso perispírito condensado nessa Colônia, com a forma que nós escolhemos para viver aqui e, assim, manifestarmos a nossa existência.

– Allan Kardec vos confirmou isso em suas escritas. – disse Nina.

– Sim, em *O Livro dos Espíritos* – na pergunta 284: *"Como podem os espíritos, não tendo corpo, comprovar suas in-*

dividualidades e distinguir-se dos outros seres espirituais que os rodeiam?"

Ao que os espíritos o responderam:

"Comprovam suas individualidades pelo perispírito que os torna distinguíveis uns dos outros, como faz o corpo entre os homens."

– É o perispírito que se manifesta na erraticidade, Osmar.

– Obrigado por profundo ensinamento, meus amigos.

– Sendo o perispírito o corpo da vida espiritual, ou melhor, da vida eterna, ele deve ser bem cuidado. É para isso que os hospitais espirituais foram criados.

Muitos irmãos chegam aqui com seus perispíritos totalmente deformados, destruídos. Cabe destacar, que os distúrbios nervosos, as distonias morais, os vícios e as tendências – tudo isso fruto de quedas morais e existências e conquistas – afetam diretamente o perispírito.

Quando um espírito decide pelo mal e pela obsessão, a penalidade pode ser ainda pior. Ou melhor, os danos ao perispírito podem torná-lo algo terrível.

Os obsessores com seus padrões vibratórios negativos, acabam por conseguirem moldar seus corpos fluídicos a um formato oval. O qual chamamos de ovoides.

Devido à delicadeza e à plasticidade do perispírito, a negatividade desses pobres irmãos, pode desfazê-lo, causando assim, uma segunda morte.

É através dos fluidos universais, que cada um pode refazer esse corpo semi material quando necessário.

O perispírito é, portanto, um elemento mutável e perecível. Pode ser reconstituído com a aglutinação de matéria, e adequado pelo pensamento do espírito, isso quando ele tem o conhecimento e é capaz de se compreender, o que, infelizmente, é o caso de poucos espíritos.

Conforme a evolução e a apuração dos espíritos, o perispírito vai ficando menos grosseiro, e então, quase imperceptível.

Quando você percebe a luz de um espírito, é porque ele está tão evoluído, que seu corpo espiritual deixa de ser grosseiro e passa a uma vibração que irradia luz por onde passa.

Quanto mais elevado, mais sutileza em todos os sentidos.

Esses pacientes que você vê aqui deitados e sendo tratados, em sua maioria, são espíritos resgatados de zonas de sofrimento. Lugares onde vivem, ou melhor, vegetam, mal se reconhecem como espíritos, e por essa razão, sofrem.

Nosso trabalho é resgatá-los, tratá-los e conscientizá-los do que realmente são, ou seja, espíritos.

– Você pode me falar sobre os outros corpos?

– Sim, mas não vamos aprofundar nesse momento, pois esse não é o objetivo deste livro, mas vamos explicar. – disse Lúcio.

– Sem problemas.

– Você olhou bem para a Loanda?

– Não, perdoem-me.

– Então, olhe.

Olhei atentamente para a jovem deitada na maca.

Ela é muito bonita. Loira, de pele clara e corpo perfeito.

Após observá-la, eu me impressionei com sua beleza.

Havia um enorme curativo em seu peito, na altura do coração. Estranhei as roupas que a jovem usava, parecia um traje bem antigo, na verdade, um vestido de baile de cor bege, mas bem antigo.

– Nós vamos te levar à vida anterior dela, vamos te mostrar como a resgatamos, e quais os motivos para ela estar aqui.

– Será uma honra acompanhá-los, meus amigos.

– Então, prepare-se, Osmar. – disse Nina.

Concentrei-me, e de mãos dadas, adentramos o Umbral.

"
Colhemos na vida futura, as mazelas de nossa encarnação.
"

Osmar Barbosa

Loanda

O desdobramento é, na minha opinião, a melhor forma de exercermos a nossa mediunidade.

É um tipo de trabalho que auxilia muitos espíritos. É a forma mediúnica que não deixa nenhuma dúvida da vida após a vida para aqueles que a exercem.

Eu agradeço muito a Deus e aos espíritos amigos, por me conduzirem em desdobramento para escrever essas obras.

Chegamos rapidamente ao Umbral.

Nina estava ao meu lado.

Jonatas e Lúcio estavam mais à frente, e ao lado deles, havia outros espíritos, todos muito iluminados.

Eu percebi que a nossa volta, havia uns outros cem espíritos, que nos davam a segurança necessária para estarmos naquela região do Umbral.

Pareciam caboclos, mas não pude ver direito, pois estávamos distantes uns dos outros, e pairava uma densa névoa em todo o lugar.

Achei que fossem caboclos, naquele momento, porque a maioria deles estavam montados em cavalos muito altos, que relinchavam a todo instante. Os cavalos eram todos negros, e suas crinas chegavam ao chão.

Uma imagem linda, nada assustadora.

– Vamos esperar aqui, Osmar. – disse Nina.

– Sim.

Lúcio e Jonatas estavam um pouco mais à frente de nós.

Chegamos a uma pequena aldeia. O lugar era cercado por um enorme muro feito de pedras.

Dentro do cercado, havia um pequeno castelo e algumas casas, nas estreitas ruas ao lado.

Ficamos parados em um pequeno monte, de onde assistíamos tudo o que acontecia dentro daquele local.

A escuridão era quase total.

Tochas presas nas paredes e nos muros do castelo, iluminavam o lugar.

As ruas também eram de pedras, dispostas umas ao lado das outras. Havia uma pequena barraca em frente ao castelo, no meio de uma pequena praça, onde alguns espíritos estavam sentados. Em suas mãos, eu pude ver lanças afiadas. Eles eram os soldados que guardavam aquele sombrio lugar.

Poucas árvores podiam ser vistas, e as que existiam, tinham seus galhos secos, sem folhas.

A luz insistia em iluminar aquela aldeia, mas as densas nuvens a impediam.

Eu pude ver, também, alguns pássaros negros, pousados sobre as duas torres do pequeno castelo.

Uma fogueira acesa perto da barraca na praça, tentava aquecer aqueles guardas, que conversavam em volta dela.

Eu pude contar, mais ou menos, cinquenta guardas.

– Que lugar é esse, Nina?

– Este é o reino de Loanda.

– Como assim?

– Loanda é um espírito muito sábio, e conseguiu alienar verdadeira legião de obsessores, que atendem aos seus caprichos, suas vaidades e, principalmente, sua vingança.

Lúcio e Jonatas nos convidam por meio de um gesto com as mãos, a nos aproximarmos deles.

Nina e eu, chegamos perto dos rapazes que estavam no pico do morro em que estávamos, donde era possível ver todo o lugar perfeitamente.

– Olha Osmar, este é o reino de Loanda.

– Como assim, um reino, Lúcio?

– Somos cocriadores, Osmar. Temos poderes que nos são acrescentados à medida que evoluímos nosso intelecto. A evolução desperta a sabedoria no espírito, e quando a atingimos, podemos usá-la para evoluir ainda mais. – disse Jonatas.

– Intelecto?

– Sim, intelecto, Osmar.

– Evoluímos moralmente e intelectualmente para a perfeição, destino de todos os espíritos. Alguns irmãos, infelizmente, desejosos de permanecer na prática do mal, não utilizam desses atributos para aperfeiçoarem-se, e os utilizam para praticar o mal.

– É bom lembrar sempre: "Deus não castiga seus filhos".

– Sim, compreendo, Lúcio.

– A liberdade é atributo experimental do espírito. Ou seja, és livre para fazer o que lhe convém, porém, colherás o fruto da semente plantada. Essa é a Lei.

– Falamos bastante sobre isso em nossos livros, Lúcio.

– Que bom, Osmar.

– Assim, o espírito que adquiri conhecimento e sabedoria tem o livre-arbítrio para utilizá-los para o bem ou para o mal.

– Compreendo.

– Esta é a cidade plasmada aqui por Loanda. Seus confrades e ela construíram esta cidade, ou melhor, seu reino, como gostam de chamar.

Loanda é um espírito muito antigo, já expiou muitas vezes na carne e, por meio das sucessivas encarnações, adquiriu muito conhecimento e poder. A partir daí, ela conseguiu burlar a reencarnação compulsória, e se estabeleceu aqui na região que chamamos de Trevas.

– Venha, Osmar, queremos te mostrar algo. – disse Jonatas.

Seguimos alguns quilômetros por uma trilha, até chegarmos a um pequeno e confortante pronto-socorro espiritual.

O prédio é branco e a recepção bem pequena.

Uma luz intensa desce do céu e ilumina aquele pequeno pronto-socorro.

Chegamos e fomos recebidos por uma guardiã, de nome Sara.

Sara é alta, mede aproximadamente 1 metro e 80 centímetros, cabelos negros sobre os ombros, e usa uma armadura como daquelas antigas amazonas guerreiras.

Na mão direita, tem uma lança na cor dourada.

Ao seu lado, havia dois rapazes, que não foram apresentados a mim. Todos vestiam trajes muito antigos e tinham lanças nas mãos.

– Olá, Sara!

– Olá, Lúcio.

– Trago alguns amigos para visitar Helena.

– Sejam bem-vindos! – disse Sara.

Cumprimentamos a todos apenas com um gesto com a cabeça, pois estávamos caminhando em direção à recepção do lugar.

Ao chegarmos, Helena, que é a médica responsável, nos recebeu com muito carinho.

– Olá, Helena!

– Oi, pessoal! Que bom recebê-los aqui.

– Este é o Osmar, nosso amigo.

– Seja bem-vindo, Osmar.

– Obrigado, Helena.

Jovem, de cabelo bem curtinho, olhos azuis, meiga e muito atenciosa, essa é Helena.

– Helena, você se importa se usarmos a sua sala de cons-cientização, para mostrarmos uma vida ao Osmar?

– De forma alguma, sejam bem-vindos e fiquem à vontade.

Lúcio agradeceu.

Helena nos deixou, após ter nos levado para uma sala escura no fim de um enorme corredor, onde eu pude ver diversas enfermarias e muitos pacientes sendo atendidos.

– Está cheio isso aqui, não é, Nina?

– Sim, Osmar. Estamos trabalhando bastante. Todos os hospitais e centros de tratamento e amparo estão cheios no atual momento em que vive a Terra.

– Não estão fáceis mesmo as coisas por aqui, Nina.

– Tudo passa, Osmar...

– Eu sei e agradeço por todas essas experiências evolutivas que estou tendo.

– Não agradeça, viva-as.

– Certamente, Nina. Mas, o que realmente viemos fazer aqui?

– Precisamos da tela fluídica para te mostrar um pouco da vida de Loanda. Mostrar o que está sendo feito e como é feito esse tipo de tratamento.

– Por que não fizemos isso lá do hospital?

– Porque você poderá ver bem de perto o que vai acontecer depois, por isso estamos aqui.

– Estou ansioso.

– Eu também. – disse Nina, sorrindo.

– Venham, vamos entrar. – disse Lúcio, abrindo a porta da sala.

O lugar parecia uma pequena sala de cinema.

Algumas poltronas confortáveis nos aguardavam. Uma tela a nossa frente começava a iluminar-se.

– Venham e sentem-se, pois já vai começar.

Sentei-me entre Nina e Lúcio. Jonatas estava na cadeira ao lado de Nina.

– Osmar, vamos olhar um pouco da vida de Loanda.

– Ok, Lúcio.

O filme começava na tela a nossa frente.

Parecia que estávamos na África em tempos bem antigos.

Acontecia uma festa, na verdade, depois eu percebi tratar-se de um ritual iniciático.

Todos os negros estavam com seus corpos pintados para o evento.

Havia algumas ocas feitas de palha e barro, de onde todos esperavam que saísse a pessoa que estava sendo iniciada.

O formato era oval. Todas as ocas formavam, na verdade, um grande círculo e, no centro do terreiro, havia algumas esteiras feitas de palha espalhadas pelo chão, e um mastro de, aproximadamente, 2 metros, contendo nele algumas cordas coloridas.

Eu sou sacerdote de Umbanda e conheço um pouco sobre rituais iniciáticos, mas nunca tinha assistido algo assim.

Logo percebi tratar-se de um ritual iniciático às magias. Fiquei mais curioso ainda, esperando para ver quem sairia do roncó, como são chamados esses lugares de reclusão.

Os tambores batiam e todos faziam a dança da iniciação.

Mulheres, crianças, jovens e idosos... todos dançavam e cantavam um canto africano.

Até que um rapaz aproximou-se, dançando, da porta do roncó e puxou pela mão uma linda jovem que, naquele momento, não podíamos ver o rosto, pois seu corpo estava todo coberto por um manto de cor preta.

O rapaz era, certamente, o feiticeiro da tribo. Seu corpo estava todo pintado. Em seus braços, várias tiras coloridas de pano revoavam com sua dança, em sua mão direita havia um cajado e, na ponta dele, um crânio que percebi ser de um macaco.

A fumaça lhe foi trazida.

Ele começou a passar por todo o corpo da mulher encoberta.

Os gritos eufóricos aumentavam as batidas dos tambores.

Até que ele tira, de sobre a mulher, o pano preto.

Assustei-me, pois tratava-se de Loanda. A qual parecia estar possuída por algum espírito, o qual não foi revelado, mas que dançava alegremente com todos os participantes daquele ritual.

A alegria era contagiante.

Após as danças, Loanda foi amarrada no tronco, no meio da aldeia, e levou algumas chicotadas, todas dadas pelas anciãs que, após uma única chibatada, beijaram docemente o seu rosto.

Naquele momento do ritual, todos estavam sentados ao redor de Loanda, em silêncio. O ritual terminou e todos entraram para as suas ocas. O silêncio tomou conta do lugar. Já era noite.

– Você viu, Osmar?

– Sim, Lúcio.

– Essa foi a primeira iniciação de Loanda. Tiveram mais algumas.

– Ela era uma sacerdotisa?

– Em diversas encarnações.

– Por isso aquele traje antigo que ela veste agora?

– Talvez. – disse Jonatas.

– Trouxemos você aqui, para mostrar a primeira iniciação à magia que esse espírito experimentou. Loanda, na verdade, teve centenas de oportunidades para conhecer a magia boa e, através dela, auxiliar muita gente.

Acontece que, após algumas vidas, ela se desviou da caridade, e é isso que vamos te mostrar agora. É importante saber: Loanda estava destinada a ser sacerdotisa, e por meio de seu conhecimento e sabedoria, ela deveria curar enfermos, auxiliar na harmonização dos corpos sutis, rezar, amparar, amar, e tantas outras coisas que podem ser feitas por aqueles que conhecem o poder da magia e a utilizam para o bem.

– Compreendo, Lúcio.

– Vamos ver agora o que desviou Loanda de seu propósito.

– Vamos lá.

"
O tempo é o remédio de todas as feridas.
"

Osmar Barbosa

Jean Pierre

Chegamos a uma pequena cidade, que parecia ser fora do Brasil.

Na verdade, era uma vila da Idade Média.

Entramos em uma casa, e logo que chegamos, vi Loanda sentada à mesa e, ao seu lado, um belo rapaz, uma moça e uma menina de uns sete anos.

– Como está o jantar?

– Maravilhoso, Loanda! – disse Jean.

– Muito bom, querida irmã. – disse Cintia.

– Eu fico muito feliz que todos estejam alegres, esse cardápio foi recomendado a mim pela condessa.

– Nobre senhora. – disse Jean.

– Querida, após o jantar irei à sala de leitura para terminar minhas escritas. Pretendo não ser importunado.

– Estarei em nosso quarto a lhe esperar, amado marido.

O jantar termina, e todos dirigem-se aos cômodos para o descanso.

Uma empregada aparece, e leva a criança para o seu quarto.

A menina, de apenas sete anos, é filha de Loanda e Jean.

Cintia é irmã de Loanda, e também dirige-se ao seu quarto para repouso.

Loanda, após a higiene pessoal, veste uma linda camisola branca e fica à espera do marido.

As horas passam, e Loanda adormece.

O silêncio é companheiro da linda noite de inverno, naquele lindo lugar.

Subitamente, Loanda é acordada.

Ela olha para o lado e percebe que Jean ainda não chegou para dormir.

Preocupada, Loanda levanta-se rapidamente, veste um robe, e dirige-se à sala de leitura para ver o marido.

Ao aproximar-se do local, Loanda assusta-se com os gemidos vindos da sala.

Ela diminui a caminhada, na esperança de pegar o seu marido de surpresa.

Com quem ele está? – pensava Loanda.

– A cena que ela viu naquele momento, transformou todo o seu destino, Osmar. – disse Nina.

– Veja! – disse Lúcio.

Loanda adentra a sala lentamente, e vê a sua irmã nos braços de Jean.

O ódio invadiu seu corpo, e eu pude ver como tudo mudou naquele espírito.

Sem que Jean e Cintia percebessem, Loanda deixa a sala.

– Ali começou uma vingança sórdida, Osmar. – disse Jonatas.

– O que aconteceu?

– Após Loanda ter presenciado a traição, ela envenenou a sua irmã e o seu marido por alguns meses. Eram gotas diárias de um veneno que mata aos poucos.

Jean e Cintia morreram após seis meses dessa descoberta.

Loanda nunca falou nada, simplesmente, os matou.

Os anos passaram, e Loanda morreu afogada, após uma grande inundação que aconteceu naquela cidade.

Porém, o ódio construído em seu coração, nunca se desfez.

Foram várias encarnações de disputa e ódio entre Cintia e Loanda.

Todas as vezes que chegavam à vida espiritual, após uma encarnação, eram relembradas das vidas anteriores, mas elas nunca se perdoaram.

Encarnavam e desencarnavam alimentadas pela rivalidade, pelo ódio e pela disputa por Jean.

– E onde ele está, Nina?

– Ele quem?

– Jean.

– Ele vai aparecer... espere.

– Mas, por que estou vendo tudo isso?

– É para que você entenda o que iremos lhe mostrar agora. – disse Nina.

– Estou ansioso para saber.

– Agora, nós vamos a um Centro Espírita, onde os trabalhadores utilizam a técnica da Deametria para socorrer espíritos.

– Estou ansioso. E agradeço o ensinamento e a oportunidade.

– Não agradeça, escreva. – disse Jonatas.

– Sim, senhor. – disse.

> As encarnações são como salas de aula, onde o melhor aluno recebe o diploma da perfeição.

Osmar Barbosa

Caso 1

Chegamos a um Centro Espírita de tamanho médio. Fica em uma rua onde há poucas árvores e muito asfalto. Quase não há prédios.

Na entrada, um muro branco e, antes de chegar à casa de atendimentos, muitos jardins.

Flores enfeitam o lugar.

A sessão está para começar.

Contei um total de onze médiuns em volta de uma mesa, na cabeceira, estava o diretor dos trabalhos daquela noite.

Não havia muita gente naquele Centro Espírita, o que estranhei "de cara".

O dirigente do lugar, senta-se à cabeceira da mesa, e começa a apresentar o trabalho que será realizado ali.

Ele explica a todos sobre a técnica que será usada naquele dia. Um pequeno grupo de médiuns sentam-se separados dos demais, na verdade, eles são o apoio espiritual daqueles que sentam à mesa para os trabalhos.

O dirigente explica que é através de comandos e pulsos, que ele conduz todo o trabalho, e assim, ele inicia a sessão invocando forças guardiãs para os trabalhos daquela tarde.

Através de pancadas de um malhete, o dirigente/operador aciona as forças espirituais para a segurança do trabalho, e ordena tudo o que acontece na sessão.

Naquele momento, eu vi chegarem alguns caboclos, alguns pretos-velhos e uns ciganos. Eles atenderam ao chamado do operador.

Os espíritos se posicionaram em forma de círculo para proteger o lugar. Além disso, eu vi a formação de anéis de fogo em torno do local.

Pude ver, também, uma grande pirâmide se plasmar e proteger a todos nós. Logo em seguida, o operador ordenou que fosse criada uma outra pirâmide, só que invertida, formando assim, uma enorme proteção para todos nós que estávamos ali dentro.

Uma pirâmide apontada para cima e outra apontada para baixo.

Ele ainda nos envolveu em diversos laços fluídicos, para que todos trabalhassem em segurança. Esses laços eram como cordas, alguns eram como correntes e, outros, como cipós, todos a nossa volta, nos protegendo.

Eram muitos...

Os trabalhos se iniciam.

Eu vi quando uma moça foi trazida de uma sala ao lado, e sentou-se à cabeceira da mesa.

De um lado, o diretor, do outro, a jovem.

Eu fiquei muito assustado com a aparência da menina, que devia ter uns 15 anos de idade. Magérrima, com olheiras profundas e pálida.

Parecia mais um defunto ambulante. Fiquei com o coração partido.

– Essa menina chama-se Raquel, Osmar, e ela foi trazida aqui por sua mãe e pelo seu pai, que sofrem muito desde que essa menina nasceu.

Está desenganada pela medicina terrena. Já esteve em vários Centros Espíritas, igrejas, feiticeiros, bruxos, magos, pastores, enfim, em todos os lugares em busca de socorro, mas ninguém conseguiu ajudá-la.

Fique atento aos fatos que lhe serão mostrados agora, para que seus leitores não percam nada.

– Pode deixar, Lúcio.

Através de pancadas com o malhete de cor branca, eu vi que todos seguiam as ordens dadas pelo operador da mesa. Um senhor de, aproximadamente, 60 anos de idade, cabelos grisalhos com uma entrada de calvície, e muito bem vestido. Ele usava óculos de grau. Na verdade, o desejo daquelas mentes em sintonia organizada, é que energizava tudo ao nosso redor.

Eu observei que havia uma sintonia mental entre todos aqueles que trabalhavam naquela mesa.

Os médiuns eram muito disciplinados, pois nada do que acontecia ao redor deles, era capaz de lhes afetar a concentração e o desejo de socorrer aquela menina.

Era a vontade de fazer o bem daquelas mentes, que comandava todo o trabalho, claro que, auxiliado por guardiões, que naquele dia eram os pretos-velhos, os caboclos e os ciganos, posicionados em círculo e que envolvia todos nós.

Ele contava, dava as pancadas com o malhete e dizia:

– Vamos desdobrar Raquel?

Após uma contagem, a qual pude acompanhar até o número 7, quatro espíritos chegaram muito próximos à menina, foi quando um deles, espalmou sua mão direita sobre a testa de Raquel. Ela adormeceu imediatamente, e foi colocada na maca de transporte, e assim, levada para o Hospital Amor e Caridade.

Já no hospital, eu vi quando ela foi levada no mesmo instante para uma cama hospitalar, onde uma equipe médica a esperava. Uma tela paralela mostrou-me a equipe que a esperava na enfermaria. Todo o atendimento começou naquela hora.

O curioso é que todos os médiuns assistiam àquilo junto a mim.

Eles também estavam desdobrados. E a tela era mostrada para todos os que estavam desdobrados.

Não sei se me viram, mas eu vi quatro homens e sete mulheres, todos ao meu lado, trabalhando em amparo àquela menina.

Após levarem Raquel, o operador da sessão intimou os obsessores de Raquel a se apresentarem à mesa. Ele ordenou que todos se mostrassem, pois desejava vos falar.

Naquele momento, eu comecei a entender por que o espiritismo nos foi trazido. A Doutrina Espírita é muito mais do que leitura, estudo e passes. O espiritismo é ferramenta de amparo, auxílio e amor, e sendo assim, deve ser usada em sua totalidade.

Eu comecei a ver que o socorro dos espíritos não está só para os encarnados. O amor que Deus tem por seus filhos, não privilegia esse ou aquele espírito, esse ou aquele lugar. Onde tiver necessidade de amparo, ali estarão os benfeitores em nome do amor.

Observei que há, na verdade, infinitas possibilidades de amparo. Que devemos deixar os sonolentos encontros espíritas e explorar as oportunidades de auxílio, estejam elas aonde for e para quem for.

Não devemos julgar isso ou aquilo. A vida espiritual é desconhecida para nós, que sequer conhecemos o outro, que dorme ao nosso lado. Não conhecemos nossos pais, nossos irmãos e nossos amigos.

Deixemos, de lado, o preconceito, e aprofundemos mais nos estudos do espiritismo. Não ficando presos à dogmas e doutrinas, e sim, livres como somos. Compreendi porque a Umbanda foi plasmada e porque ela tinha no centro do terreiro uma mesa.

Eu pude perceber que estávamos na verdade em um centro de umbanda, pude ver o congá e todas as imagens dos Orixás dispostas umas ao lado das outras.

– "Toda doutrinação é destrutiva", disse-me Nina.

– Você está ouvindo meus pensamentos, Nina?

– Não, Osmar. Só aproveitei o que você está pensando nesse momento, para lhe auxiliar nessa instrução.

– O que você pode acrescentar para nós, Nina?

– Toda ideologia é burra, e toda doutrina, ingrata.

– Como assim, Nina?

– A ideologia do espírito deve ser a de aperfeiçoar-se. Essa é a melhor ideologia, sem dúvida.

Todas as doutrinas são limitantes, pois por meio de seus dogmas e ensinamentos terroristas, escravizam a alma, impondo restrições à liberdade de pensamento.

"Quando não és livre para pensar, torna-se joguete de interesses escusos."

Jesus, em seu Evangelho, jamais disse-lhes que o Pai castiga a criatura.

Não há castigo no Universo, como sabes.

– Eu sei, Nina, colhe-se aquilo que se planta.

– Isso, o que existe é plantio e colheita. Portanto, não siga esse ou aquele, absorva de todos o que de melhor há neles. Se for bom, absorva, se for ruim, ignore.

Não há sobre a Terra, um só espírito que, nesse momento, seja um bom expoente da vontade de Deus, dos planos do Pai para a criatura, pois o último que esteve entre vocês, teve seu Evangelho corrompido por interesses materiais.

– Penso assim, Nina, acho sinceramente, que o espiritismo começa a engatinhar. Ainda é uma criança, e tem muito a nos oferecer.

– Creia, pois muitas revelações ainda virão. Mas, vamos à Raquel.

– Sim, Nina.

Naquele instante, os obsessores começavam a chegar, eles eram trazidos por alguns caboclos, pelos pretos-velhos e, outros, atraídos pela força magnética dos médiuns que exigiram suas presenças.

O que mais me impressionou foi que eu conhecia aqueles espíritos. Eram os mesmos que eu acabara de ver no castelo de Loanda.

Eram seus guardas e todos os que estavam ao redor dela.

Um a um foram convencidos a seguirem para outra Colônia.

Todos convencidos. A alegria tomou conta daquele Centro Umbandista.

Naquele momento, todos exclamavam: "Conseguimos!". "Ela vai ficar boa!" – dizia uma senhora, que parecia ser uma dirigente do lugar.

Foi quando um grande estrondo foi ouvido por todos.

Uma médium havia dado um soco com as duas mãos na mesa, que quase não aguentou a pancada.

A médium parecia ter uns três metros de altura.

Ela estava incorporada por Loanda que, revoltada, chegou àquele lugar.

– Por que me querem aqui? Como ousam mexer em meu reino? Quem és, pobre homem, para me afrontar?

Calmo, o operador começa a conversar com ela.

Loanda gritava, e ameaçava a todos que estavam ali.

Energias de cor verde começaram a invadir o ambiente.

Depois, fluidos na cor violeta.

O ambiente ficou todo energizado. Alguns espíritos sublimes apareceram e emanavam seus fluidos sobre Loanda, que foi se acalmando e absorvendo tudo o que o operador vos falava.

– Já está na hora dessa briga acabar. – dizia o operador.

– Mas, ela me traiu, eu confiava nela, eu cuidei dela desde menina, quando nossos pais nos abandonaram. Eu sofri por ela, deixei tudo na vida por ela.

– Contudo, você fez a coisa certa, você a amou, a amparou, você já tem tudo em seu coração para viver melhor. Olhe ao seu redor, quantos espíritos você comanda? Veja como eles estão. Seus corpos estão em pedaços, não há mais possibilidades para seus comandados. E, agora, olhe para você.

– Por que ela fez isso comigo?

– Ela era uma criança, mal sabia o que estava fazendo. Seja você o que sempre foi para ela, perdoe-a. Mostre sua dignidade. Temos certeza, querida Loanda, que ao dar-lhe o perdão, ela também lhe perdoará, e juntas, vocês poderão seguir evoluindo e auxiliando a obra do Criador. Use todos os seus conhecimentos magísticos, para o amparo e o auxílio a todos os necessitados, foi para isso, e por isso que recebestes tantos conhecimentos.

Loanda ouvia a tudo calada, recebendo uma carga energética que lhe modificavam a aparência. O operador continuava a falar:

– Só o amor é permitido nas Leis maiores. Sabeis que o que praticas muito, lhe prejudica e te afasta daqueles que sempre te amaram.

– Ela tirou de mim o meu maior amor.

– Jean?

– Como sabes o nome dele?

– Estamos desdobrados juntos a você.

Pois te digo, Jean está a te esperar nas Colônias superiores, e só depende de você, reencontrar o seu grande amor.

– Tens certeza disso?

– Sim, querida Loanda.

– Procurei por ele pelos quatro cantos do Universo, e nunca o encontrei.

– Confie em minhas palavras, querida irmã, e siga ao lado de nossos amigos para um hospital, onde essa terrível ferida em seu peito será curada.

– Eu já fiz muitos feitiços para destruir a Raquel que, na verdade, é Cintia, minha irmã encarnada.

– Pois, perdoe e siga para o nosso hospital.

A sala encheu-se novamente de fluidos coloridos.

– Não existe mais o seu reino, olhe, ele já foi todo destruído.

Loanda assiste à destruição de seu reino no Umbral. E, permanece calada.

Um grupo de enfermeiros chegam trazendo uma maca, para levarem Loanda para o Hospital Amor e Caridade.

– Eu vou me cuidar. Agradeço aos senhores por permitirem que eu possa perdoar. Espero encontrar-me com Jean e seguir nossos destinos.

– Isso irmã, agora deite-se na maca e que Jesus abençoe sua decisão. Cuidaremos da Raquel, ou melhor, Cintia. Um dia, todos se encontrarão novamente, para juntos, traçarem novos destinos. – disse o operador, despedindo-se de Loanda.

Foram horas cansativas de trabalho, para todos os envolvidos naquele dia.

Todos os médiuns foram trazidos de volta, após levarem os obsessores para as Colônias que se ofereceram para receber tamanha falange de malfeitores. Todos arrependidos e sedentos pela nova oportunidade evolutiva.

Os argumentos usados pelo operador da mesa eram perfeitos, ele não discutia e, tampouco, ameaçava aqueles obsessores. De maneira inteligente, ele lhes mostrava seus estados perispirituais, falava sobre Jesus de forma meiga e carinhosa e, ao final, eu vi todos os obsessores agradecerem a ele pela nova oportunidade.

Eu estava feliz.

Foi quando Lúcio me chamou e disse:

– Venha, Osmar, você precisa ver uma coisa.

Nos levantamos e saímos rapidamente do pronto-socorro em direção ao castelo de Loanda.

Foi impressionante o que assisti naquele dia.

Ao chegarmos perto, subimos novamente naquele pequeno monte donde podíamos ver todo o lugar.

Vimos quando as mentes daqueles médiuns sentados à mesa, aliadas aos caboclos e pretos-velhos, destinavam àquela fortaleza, raios mentais poderosíssimos.

Eram raios como se fossem raios *laser*, de cor azul.

As paredes explodiam.

O castelo rapidamente foi ao chão.

Tudo foi destruído em questão de segundos.

– Olha, Osmar, a força que tem a mente humana.

– É sério que tudo isso é somente o desejo daquele grupo?

– Sim, o desejo aliado ao amor. E é claro a ajuda importante dos amigos guardiões. Quando o amor está presente nada fica de pé a seu redor, Osmar.

Aquelas pessoas sabiam usar perfeitamente a técnica de Amor e Caridade.

São operários de nosso hospital, que estão encarnados com esse propósito.

Alguns entendem e seguem fielmente a missão, outros, levados por desejos terrenos, afastam-se, mas serão trazidos no momento certo.

Vocês precisam crer que tudo está na mente. "Sois Deuses", já vos alertou Jesus.

– Obrigado, Lúcio.

– Não agradeça... – interrompi.

– Já sei, escreva... – rimos.

– Olha, Osmar. – disse Nina.

Uma tela foi plasmada a minha frente, e eu pude ver, novamente, Raquel, saudável e feliz. Eu vi que alguns anos já havia se passado.

Confesso que fiquei muito emocionado e feliz com tudo o que vi e aprendi naquele dia.

A sessão terminou e todos voltaram para os seus lares, após a tarefa cumprida.

Loanda está no Hospital Amor e Caridade, recuperando-se e à espera de Jean.

Raquel, ou melhor, Cintia, recuperou-se e vive a sua encarnação muito feliz, e agora, livre da doença que sempre a acompanhou.

– Terminamos a primeira experiência aquele dia. – disse Nina, ao despedir-se de mim.

Voltei para a minha humilde vida.

Os dias passaram...

Eu estava muito ansioso esperando pelo próximo encontro.

O que teremos para ver e revelar nesta psicografia?

> As doutrinas só são úteis àqueles que não querem pensar.

Osmar Barbosa

Corpos sutis

Nina me procura e pede para segui-la até a Colônia Amor e Caridade.

Logo que chegamos, fomos nos encontrar, novamente, com Daniel, que me aguardava sentado em sua sala.

– Olá, Osmar!

– Olá, Daniel, que bom estar aqui, novamente, ao seu lado e de todos de Amor e Caridade.

– Seja bem-vindo! Como está sendo sua experiência no Hospital Amor e Caridade?

– Maravilhosa!

– Anotou tudo direitinho em seu livro?

– Sim, Daniel.

– Eu vou pedir a Nina que te leve até os jardins da Colônia, para um encontro com o Marques, ele tem algumas coisas que você precisa colocar nessa obra, pode ser?

– Sim, com prazer.

– Leve-o Nina, por favor.

– Estamos indo, Daniel. – disse a iluminada.

Saímos após despedir-me de Daniel, em direção aos jardins da Colônia Amor e Caridade.

Caminhamos e logo encontramos o Marques, sentado em um banco dentro de um lindo jardim.

O mesmo onde encontrei-me com Felipe, no livro *Cinco Dias no Umbral*.

Nos aproximamos.

– Olá, Osmar!

– Olá, Marques, eu estou muito feliz em te ver.

– Olá, Nina.

– Oi, Marques. Vou aproveitar e já vou, pessoal.

– Obrigado, Nina, por trazer o Osmar.

– De nada, Marques.

– Até logo, Nina.

– Até, Osmar.

– Ela é encantadora, não é mesmo, Osmar?

– Maravilhosa!

– Todos aqui na Colônia e nas Colônias vizinhas amam a Nina.

– Confesso que eu não sei o que seria de minha vida, se ela não tivesse sido apresentada a mim pelo Rodrigo.

– Mudou mesmo a sua vida?

– E como!

– Bem, Osmar, o Daniel me pediu para conversar com você sobre os corpos sutis.

– Gostaria muito de saber mais sobre isso, Marques.

– Eu vou te explicar.

– Obrigado, Marques.

– Não vamos nos aprofundar no assunto, pois não é essa a intenção deste livro. O mais importante é que vocês saibam um pouco sobre os corpos que compõem o espírito encarnado.

– Vamos lá.

Sentei-me ao seu lado e comecei a ouvir as suas explicações.

– Osmar, embora você não tenha percebido, todos os espíritos encarnados estão envoltos em campos energéticos, que totalizam sete corpos. O desdobramento tira esses corpos da visão do espírito desdobrado, pois são sutis e necessários, somente, quando o espírito está expiando na carne. Compõem o corpo físico, que permite viver a vida terrena, portanto, são esses corpos que harmonizam e possibilitam a encarnação.

– Sim, já ouvi falar.

– Pois bem. Na verdade, alguns chamam esses corpos de aura, que nada mais é que um conjunto de energias, que têm componentes físicos, emocionais, mentais e espirituais, ou se preferir, causais.

– Certo.

– Ela é formada por algumas camadas que vibram em diferentes frequências. Tudo, na vida, funciona nesses níveis de frequências e vibrações, apresentados por esses "corpos".

Vocês podem melhorar a vibração e a frequência dos seus corpos, com a meditação, com banhos energéticos, com a massagem, através da acupuntura, do ioga, entre outras técnicas, disponíveis não só no plano físico, como, também, nos planos espirituais. São nesses corpos que atuamos quando o espírito encarnado precisa de algum tipo de ajuda.

– Interessante isso, Marques!

– Essas energias são separadas por níveis, os quais vou te explicar agora.

– Ok.

– O primeiro nível, o mais básico, é o nível físico. O qual chamamos de denso. Corpo físico.

Nesse nível, a vibração é mais densa e, por isso, parece mais sólida e concreta. No nível físico, vocês precisam dos sentidos para se relacionarem com o mundo. Não podem estar no mesmo espaço físico que outro corpo, e essa é a lei da física para corpos densos.

A visão, o tato, a audição, o paladar e o olfato, são os instrumentos que vocês utilizam para explorar esta dimensão de existência.

Existe outro corpo, o qual vocês podem considerar, também, como do nível físico, que é o corpo etérico. Corpo 2.

Ele possui menor densidade que o físico, e é possível que seja enxergado. Porém, ele não pode ser visto pelo espírito encarnado. É nele que começam a maioria das doenças. É o corpo mais atacado nos processos obsessivos, e é o defensor do corpo físico, assim podemos dizer.

Ele possui a cor branca ou azul-acinzentada e envolve, cerca de 5 a 6 centímetros, o corpo físico mais denso.

O corpo etérico é a alma vital, a união ou o elo plástico entre o corpo físico e o astral. Ele é invisível, de natureza eletromagnética densa, com uma estrutura tênue, ou seja, um corpo mais sutil, e é nele que localizam-se os chacras.

– Que legal, Marques.

– O terceiro corpo é o astral.

– Vamos em frente.

– O corpo astral está associado aos sentimentos, podendo ser influenciado pelo ego e pela racionalidade, ou seja, é o corpo dos instintos, impulsos, vontades e desejos.

Quando alguém vê um espírito, na verdade, está vendo o corpo astral, e alguns o chama de perispírito.

– E aqui, como vocês chamam?

– Perispírito, pois é a forma da aparência que você traz, para ser reconhecido em todos os lugares da vida espiritual.

– Mas, tem algo que vocês precisam saber, Osmar.

– O quê, Marques?

– Esse corpo astral, ou melhor, perispírito, é composto por mais dois corpos.

– Quais?

– Corpo mental inferior e corpo mental superior.

– Você pode explicar?

– Sim, vamos lá!

– Corpo mental inferior é mais conhecido como o corpo racional. Nele são trabalhados os fenômenos cognitivos, as avaliações dos seus atos, a memória, entre outros fatores. Mais precisamente, é aí que estão os seus cinco sentidos.

– Ok.

– O corpo mental superior é o mais ligado à fonte, podemos assim dizer. É o corpo no qual se tem acesso às ideias e ao todo. O qual reside a vontade e a consciência. É, também, o corpo que te liga ao Criador, e lhe mantém informado sobre as Suas Leis.

– Que legal, Marques.

– Você possui, ainda, mais dois corpos, os quais vou explicar agora.

– Vamos lá.

– Os últimos corpos são os *Búdico* ou *Buddhi*, como preferir chamar, e *Átma* ou *Átmico*, também, como preferir chamar. Vocês têm mania de colocar muitos nomes na mesma coisa.

O corpo *Búdico*, como vou chamar, é o corpo da iluminação, e nele não existe forma nem contextos específicos, é um corpo abstrato e que está ligado ao todo. É o corpo que só os espíritos puros já atingiram.

O último é o corpo *Átmico*, como prefiro chamar, ele é mais conhecido como corpo das vontades ou corpo da divina presença, no qual manifesta-se a energia de Deus e as energias universais.

Finalmente, é o espírito em sua natureza real, a centelha divina do Criador.

– Nossa, Marques, muito legal os seus ensinamentos.

– Obrigado, Osmar.

– Eu posso te perguntar mais uma coisa?

– Sim, pode!

– Por qual motivo estamos falando sobre isso?

– Para que todos entendam este livro, mas precisamos ainda explicar muitas coisas.

– Entendi. Quer dizer que logo saberemos por que falar de corpos sutis?

– Isso, tudo está organizado para que vocês recebam o máximo de informações possíveis.

– Agradeço-te, Marques.

– Nós é quem agradecemos a oportunidade.

– Terminamos sobre os corpos sutis?

– Sim, mas queres saber mais alguma coisa?

– Eu posso perguntar?

– Sim, claro!

– Sobre esses corpos pelos quais você nos explicou, eles são usados apenas na encarnação, é isso?

– Sim, eles compõem o corpo físico. Ocorre que, por serem fluidos, matéria eterizada e energias, logo após o desencarne, eles voltam ao fluido cósmico universal, donde partiram um dia, misturam-se, e logo serão usados novamente.

O que volta para nós é o perispírito, instrumento usado pelos espíritos para serem reconhecidos, o corpo *Búdico* que você vai continuar trabalhando aqui para atingir o *Átmico*.

Todos somos *Átmico* em processo de aperfeiçoamento, se assim podes entender melhor.

– Entendi, somos espíritos que chamamos de *Átmico*, e estamos em busca de aperfeiçoá-lo.

– É mais ou menos isso.

– Ai meu Deus!

– Eu vou te dar uma dica.

– Diga, Marques.

– O corpo *Búdico* é o banco de dados do espírito, na verdade, o que você precisa é aperfeiçoar esse corpo, pois o *Átmico* é você, ele já é perfeito. O que acontece é que ainda não temos o conhecimento pleno para acessá-lo em perfeição. Lembrando que estamos falando de corpos.

– Sim, eu entendi. O espírito adormecido é perfeito, nós é que, por meio das provas e das modificações, vamos nos aproximando da perfeição, destino de todos os espíritos. É como despertar algo que está adormecido.

– Isso, Osmar. Ele é perfeito.

– Compreendo.

– Osmar, eu não me aprofundei nos ensinamentos desses corpos, propositalmente, porque é necessário que aqueles que desejam conhecer mais sobre esses corpos, os estudem, pois são corpos de complexidade profunda.

Para atender aos anseios de conhecimento sobre esses corpos, precisaríamos escrever um livro somente para explicá-los.

– Entendo e agradeço, Marques.

– Não agradeça... escreva.

– Mais um.

– Mais um, o quê, Osmar?

– Mais um que me diz essa frase... escreva, Osmar.

– Então, escreva.

–Eu sei, Marques. E agradeço todos os dias por essas oportunidades.

– Nós é quem agradecemos por tamanha dedicação e superação.

– Realmente não é fácil.

– Se fosse fácil não estaríamos usando você.

– Marques, eu posso te perguntar uma coisa que não tem nada a ver com esse livro?

– Sim, se eu puder responder, será um prazer.

– Qual é o critério utilizado por vocês, para usarem uma pessoa como eu para realizar este trabalho?

– Que trabalho?

– Ser médium, trabalhar tanto pelo espiritismo e pelas pessoas. Escrever livros e tudo o que faço.

– Nós não te escolhemos.

– Como assim?

– Nós não te escolhemos, você se capacitou para isso.

– Eu me capacitei?

– Sim, por meio de sucessivas encarnações, você foi adquirindo o conhecimento necessário para desempenhar essa função. Assim, nos conectamos a você e estamos realizando um pouco do nosso trabalho.

– Quer dizer que estamos ligados, de alguma forma, por outras vidas?

– Todos vocês que estão encarnados hoje, têm ligações espirituais com aqueles que se comunicam ou vivem ao lado de vocês.

– Quer dizer que por meio das minhas encarnações, eu mesmo possibilitei fazer o que faço hoje?

– É assim para todos os encarnados. Deus não dá um fardo ao qual não estás capacitado para carregar. Tudo o que acontece ao seu redor, tem propósitos evolutivos.

– Que legal, Marques.

– Família, amigos, profissão, filhos... tudo tem um propósito. Na verdade, vocês médiuns, imploraram por essa oportunidade.

– Como assim, eu implorei passar por tudo o que passo?

– Está sendo fácil a sua encarnação?

– Olha, Marques, eu vou ser bem sincero com você.

– Diga.

– Eu não tenho tudo o que gostaria de ter, mas sou feliz, apesar de ter poucos momentos de felicidade.

– Como assim, Osmar? Você não é feliz?

– Eu seria mais feliz se eu visse menos crimes, menos maldade, menos ignorância, menos preconceito, menos ódio, e mais compreensão, mais amor, mais caridade, enfim, o mundo me entristece muito, Marques.

– É por isso que ocupas o cargo que lhe foi oferecido.

– Cargo?

– Sim.

– Que cargo eu tenho, Marques?

– Mensageiro dos espíritos.

– Ah! Assustei-me agora.

– Você é um mensageiro, e olha que são poucos os mensageiros. Então, agradeça e seja feliz.

– Eu sou feliz, o que disse é que seria mais feliz se eu não visse o que vejo. E, o pior, é ver que a pessoa vai cair, aconselhá-la e ela cair do mesmo jeito. Isso é que muito me entristece.

– Imagine, então, como se sente Jesus.

– Não posso me comparar a Ele.

– Não estou te comparando, apenas te alertando. Se Jesus, que é um espírito perfeito, esteve entre vós, lhes direcionou e, mesmo assim, poucos o seguem, o que dizer de nós, simples mensageiros de uma Colônia espiritual?

– É verdade, Marques, eu não tinha pensado assim.

– Osmar, o que vocês têm que compreender é que as experiências na carne, vos capacitam para experiências melhores. É de vida em vida, de encarnação em encarnação, que o espírito se aperfeiçoa, e aperfeiçoando-se ele evolui, e evoluindo torna-se mensageiro, e tornando-se mensageiro, ele vira um emissário, e tornando-se um emissário, ele aproxima-se de Deus.

O destino de todos os espíritos é a perfeição.

Estamos no Universo para auxiliar na evolução de outros espíritos. Faça a sua parte. Dedique-se ao seu trabalho, pois ele atinge e modifica muitos corações.

Sabemos o quanto é sofredor, Osmar, fazer o que fazes.

És julgado, caluniado, massacrado, pisoteado, mas os grandes espíritos sofrem sempre por isso, passam por tudo o que tens passado.

Só quero te dar um conselho.

– Qual, Marques?

– Nunca desista, porque ao chegares à vida espiritual, compreenderás muita coisa que se passa em sua vida.

– Eu confio muito nisso.

– Tenha a certeza de que ficarás muito surpreso quando todas as suas vidas forem descortinadas a sua frente.

– Não vejo a hora de me conhecer como um todo.

– Todos terão essa oportunidade, pensem nela.

– Nossa! Obrigado, Marques, por seus ensinamentos.

– Nós é quem agradecemos a oportunidade.

– Já sei... escreva, Osmar... escreva.

– Agora, precisamos cuidar de outras coisas, Osmar.

– Sim, o quê, Marques?

– Volte para a sua casa e espere por um novo contato.

– Ok, estou indo.

– Em breve, iremos te procurar.

– Eu posso olhar mais um pouco a nossa Colônia?

– Fique à vontade.

Marques levantou-se e deixou-me sentado nos jardins de Amor e Caridade. Após algum tempo, voltei para casa.

Como é linda a Colônia Espiritual Amor e Caridade.

> *Descortinarão a sua frente, todas as vidas e amores que tivestes nas experiências terrenas.*

Marques

Paulo

Alguns dias depois, fui procurado por Nina novamente, e ela trazia Felipe ao seu lado.

– Oi, Osmar.

– Oi, Nina. Oi, Felipe.

– Como tens passado?

– Muito bem, que bom revê-lo, Felipe.

– Sinto-me feliz em estar aqui com a Nina.

– Qual a razão da visita, meus amigos?

– Vamos continuar o livro?

– Sim, prontamente.

– Então, siga-nos.

Desdobrei-me e segui a Nina e o Felipe.

Rapidamente, adentramos novamente o Hospital Amor e Caridade.

– Venha, Osmar. – disse-me Felipe.

Caminhamos até o segundo andar do hospital, que nem imaginava existir.

No andar superior ao qual estávamos havia muitas enfermarias.

Nos dirigimos até a de número 17.

– Venha, Osmar. – disse Nina, abrindo a porta.

Entramos e caminhamos em direção a uma cama hospitalar de última geração.

Havia alguns aparelhos ligados ao paciente.

Ao lado dele, estava uma enfermeira de nome Norma. – eu li no crachá dela.

Norma nos olhou e afastou-se da cama, nos deixando sozinhos.

– Olhe para esse rapaz, Osmar.

– Eu não o conheço, Nina.

– É sobre ele que iremos conversar agora. – disse Felipe.

– Estou pronto para anotar.

O rapaz aparentava uns 20 anos. Jovem, magro, cabelos crespos, cortados bem curto, e com o corpo cheio de perfurações, todas com curativos.

Não contive a curiosidade e perguntei:

– Essas marcas são tiros?

– Sim. – disse Felipe.

– Meu Deus, foram muitos.

– Um total de 22 tiros. – disse Nina.

– Mas, ele trouxe essas marcas em seu perispírito?

– Sim, e é sobre isso que iremos falar, ou melhor, vamos te mostrar.

– Quando quiserem.

– Nós já estamos indo.

– Só falta ele chegar. – disse Nina.

– Ele quem?

– Espere e você verá.

Por alguns segundos eu me preocupei. Quem é que viria me ver?

Quem está envolvido com esse rapaz?

Por que ele tem as marcas das balas em seu perispírito?

Quem o assassinou?

Foi neste exato momento, que o Dr. Franz chegou àquela enfermaria.

O Franz é um velho conhecido nosso. Ele é médico e trabalha na Colônia Amor e Caridade. Lá tem um hospital em seu nome. É ele quem visita os Centros Espíritas e realiza as cirurgias espirituais.

É um espírito muito elevado e que trabalha muito para o bem de todos que necessitam de seus cuidados.

– Olá, Osmar!

– Olá, doutor.

– Como tens passado?

– Muito bem, Franz.

Nina aproxima-se de nós.

– Ele está pronto, Franz.

– Perfeito, Nina, vamos levar o Osmar para que ele relate tudo o que vê.

– Sim. – disse Nina.

– Venha, Osmar. – disse Felipe, abrindo a porta da enfermaria para que pudéssemos sair.

Acompanhado de Nina, nos dirigimos a uma sala no final do corredor, onde havia uma placa que dizia ser "Sala da Conscientização".

Todas as Colônias têm esse tipo de sala. É nela que tomamos consciência daquilo que precisamos lembrar nas vidas encarnadas.

São como pequenas salas de cinema, onde há algumas poltronas confortáveis e uma tela, para que possamos ver o filme da nossa vida.

Por meio das imagens, os mentores vão nos orientando e nos mostrando os momentos em que acertamos e aqueles que falhamos.

Entramos e nos sentamos.

Estávamos Nina, Felipe e eu. Franz não nos acompanhou. Ele se dirigiu a outra enfermaria para passar visita aos seus pacientes.

– Osmar, nós vamos lhe mostrar alguns momentos da vida de Paulo, aquele rapaz que você acaba de ver deitado na cama do hospital.

– Vamos em frente, Nina.

– É importante que você anote tudo, para que as coisas se encaixem na visita que faremos novamente ao Centro Espírita.

– Certo, Felipe.

– Podemos começar?

– Sim, Nina.

A sala escurece e um filme da vida de Paulo começa a passar.

Adentramos uma comunidade, que parecia ser em São Paulo.

Um lugar muito humilde, onde só havia barracos feitos de madeira e pouca alvenaria.

As ruas eram enlameadas e o esgoto corria por valas laterais.

Não havia poste de luz. O que eu pude ver eram alguns troncos, que seguravam os fios elétricos que alimentavam algumas daquelas casas. Estamos no alto de um morro.

Algumas crianças brincavam nas poças de água que a chuva acabara de deixar.

Eu vi muita pobreza naquele lugar.

No lado direito, encostada em um barranco, havia uma pequena casa e foi nela que entramos.

Uma mulher estava deitada, muito doente.

Seu filho, um menino de apenas 10 anos, era quem cuidava dela.

Uma pequena pia, um fogão de duas bocas, uma cama de casal e um pequeno guarda-roupas compunham o local. O chão era de barro, mas estava bem varrido e o ambiente estava limpo.

O menino estava terminando de arrumar tudo.

– Quem é esse rapaz, Nina?

– O Paulo. Você acabou de vê-lo no hospital.

– É ele quem cuida dessa senhora?

– Ela é a mãe dele.

– Ela está doente?

– Tem diabetes, é hipertensa e está muito fraca, pois sofre com câncer na coluna.

– Isso tudo?

– Sim, seu desencarne está muito próximo.

– Eles não têm parentes?

– Não. São, somente, ele e a mãe.

– Coitados.

– Vamos acompanhar, Osmar.

– Sim, Felipe.

Passados alguns minutos, três poderosíssimos obsessores chegaram ao lugar.

É nesse momento que a mãe do menino piora bastante, pois os obsessores irradiavam energias negativas sobre a mulher. Eu reparei que um deles empurra uma pequena estaca de madeira, bem antiga, sobre os ombros da mulher. Parece que essa estaca está enfiada no ombro da pobre senhora há muito tempo.

Ele forçava a estaca e ela gemia de dor.

Outro obsessor colocava suas mãos sobre a cabeça da humilde mulher e lhe inseria pensamentos suicidas.

Enquanto, o outro, vigiava a porta.

Durante algumas horas, eles fizeram isso.

O menino, desesperado, tentava aliviar as dores de sua querida mãe.

Depois, eles espalharam no ambiente, um fluido de cor amarela que exalava um cheiro terrível.

– Sinta filho, o cheiro começou novamente. – dizia a mulher.

O menino, coitado, não sentia aquele cheiro e tentava abanar, com um pedaço de papelão, o suor que descia do rosto de sua amada mãe.

Foram momentos de sofrimento e dor. Até que os obsessores decidiram ir embora, e foi então, que as coisas se acalmaram um pouco.

Já era noite, quando o menino vestiu uma roupa um pouco melhor e saiu de sua casa, após deixar sua querida mãe deitada, com um pequeno lampião aceso.

– Mãe, eu não demoro. – dizia o menino.

Foi quando eu tive a curiosidade de perguntar:

– Quem é esse menino, Nina?

– É o Paulo, o mesmo que você vê deitado no quarto aqui do hospital.

– Eu sei, você já me falou isso, mas quem é ele como espírito?

– Observe e anote tudo, Osmar. – disse Felipe.

– Pode deixar.

O menino, após cuidar de sua mãe e deixá-la deitada, dirigiu-se até uma pequena igreja que há próximo a sua casa.

É uma igrejinha evangélica.

Apenas duas portas, dessas de lojas comerciais, e alguns bancos, separam o pastor dos poucos fiéis ali sentados.

Paulo chega até lá e senta-se no último banco.

Ele carrega escondido em seu bolso, uma pequena sacola plástica, dessas de supermercado, amassada em sua roupinha.

Havia seis pessoas assistindo ao culto.

Após a oração, todos deixaram o lugar, mas Paulo permaneceu sentado à espera do pastor.

O pregador já havia percebido a presença do menino que, encabulado, escondeu seu sorriso ao ser descoberto.

Após arrumar suas anotações, o pastor fechou a sua Bíblia e deu por encerrado aquele encontro.

Eu pude ver que havia alguns espíritos sentados nos bancos da pequena igreja, mas preferi não perguntar nada a Nina e nem ao Felipe.

O pregador dirige-se ao menino, com uma pequena sacola na mão.

– Oi, Paulo.

– Oi, pastor.

– Como você está?

– Estou bem, pastor.

– E a sua mãe?

– Muito doente, senhor.

– Eu vou pedir a Deus para ajudá-la, te prometo. Olha, hoje só recebemos dois quilos de arroz. É tudo o que temos aqui na igreja. Eu sei que os cultos ocorrem apenas uma vez por semana, eu até gostaria que fossem em mais dias, mas os fiéis não vêm, então não adianta abrir. Não consigo arrecadar mais nada para ajudar vocês.

Leve esses dois quilos e se eu conseguir mais alguma coisa, eu mesmo levo até a sua casa.

– Está bem, pastor.

Após receber um abraço do pastor amigo, Paulo dirige-se rapidamente até a sua casa, e logo que chega, conta a novidade para a sua mãe.

– Mãe, Mãe! O pastor mandou dois quilos de arroz.

Preocupada, Eulália chora calada, sem que as lágrimas pudessem ser vistas por Paulo. A fome é companheira diária daquela pequena família.

Meus Deus, me ajude. – dizia, em pensamento, aquela triste mulher.

Paulo lava um pouco de arroz e o prepara para o jantar dele e da mãe.

Após comerem, ambos dormem.

É madrugada, quando nove obsessores chegam ao lugar.

As dores são insuportáveis, e aquele mesmo obsessor torna a apertar a estaca de madeira, fincada no ombro de Eulália, que se contorce em dores.

Desesperado, Paulo não sabe o que fazer.

Eulália implora a Deus que a ajude.

Os obsessores intensificam os ataques.

Uma obsessora traz consigo uma lança afiada e a enfia na coluna de Eulália, que contorce em dor.

Aflito, o menino Paulo sai do barraco à procura de ajuda.

Os obsessores conseguem atingir o objetivo deles.

Eulália desencarna, sangrando pelo nariz e pela boca.

Ao voltar e sem conseguir ajuda, o pobre menino se depara com a cena que, certamente, marcou o seu coração para sempre.

Sua mãe estava ali, morta.

No dia seguinte, funcionários da prefeitura retiraram o corpo de Eulália e levaram embora.

Sozinho, Paulo não sabia o que fazer.

No mesmo dia, ele vai até a igreja à procura do pastor, mas não o encontra.

Ao voltar, encontra a sua casa toda revirada e dois rapazes sentados à porta, esperando-o chegar.

Com muito medo, Paulo se aproxima.

– Ei moleque, pegue as suas coisas e some daqui. – disse o primeiro.

– É, pega logo e some. – disse o outro, mostrando para Paulo um revólver na cintura.

Com muito medo, Paulo nem entra em casa e, imediatamente, afasta-se daquele maldito lugar.

– Um dia vocês me pagam! – disse Paulo, afastando-se do lugar.

Paulo passou a viver na rua, onde come pouco e vive sendo expulso dos lugares em que busca ajuda.

Ele estava decidido a nunca mais voltar àquele lugar.

Passados alguns meses, ele mudou de bairro e foi morar em outra comunidade.

Lá, Paulo foi aceito e, em pouco tempo, já fazia parte do grupo de bandidos que controlavam o lugar. A vida não lhe deu outra opção.

Rapidamente, ele ascendeu dentro do grupo e passou a chefiar e controlar os negócios da facção.

Paulo tinha, então, 19 anos.

Seu negócio era vender drogas, e embora usasse arma, nunca deu um tiro em ninguém.

Namorava, já tinha comprado uma boa casa na comunidade, tinha uma moto e um carro.

As coisas iam muito bem, até ele receber o convite do líder para invadir o lugar onde vivia quando criança. Eles queriam expandir seus domínios na região.

Paulo lembrou-se imediatamente daqueles dois rapazes que o expulsaram e tomaram sua casa.

Aceitou o convite.

Assim, no dia marcado, mais de sessenta homens de seu grupo invadiram o lugar para apossarem-se das bocas de fumo do local.

Paulo resolve dirigir-se a sua antiga casa e, lá, encontra seus desafetos. Era ali que funcionava todo o movimento daquela facção.

Muitos tiros, até que Paulo consegue se aproximar e, com sua arma, assassina os dois rapazes que tomaram, violentamente, aquela casa dele e de sua mãe.

Pela primeira vez, Paulo atirou em alguém.

Ele sentiu um misto de medo e alegria.

Medo, por ter matado alguém e, alegria, por ter se vingado dos rapazes que o expulsaram de sua própria casa.

É nesse momento que se ouve uma rajada de metralhadora.

Paulo é atingido em cheio e foi a óbito naquele lugar.

Os amigos daqueles que Paulo havia matado, enfim, vingaram a morte de seus líderes.

Paulo morreu no lugar onde havia visto a sua mãe morrer.

– Foi nessa hora que vocês o trouxeram para cá, Nina?

– Não, não fomos nós que trouxemos o Paulo para cá.

– Como assim?

A tela se apaga e as luzes da sala se acendem.

– O que você viu, é parte daquilo que iremos te explicar no Centro Espírita.

– Entendi.

– Agora, vamos para a sessão no Centro Espírita em que estivemos antes.

– Vamos. – disse.

Saímos da sala e nos dirigimos ao mesmo Centro Espírita do primeiro caso.

Rapidamente chegamos lá.

"
Deus está em todas as coisas.
"

Nina Brestonini

Caso 2

A sessão já havia sido iniciada. As seguranças eram as mesmas.

Os círculos de fogo davam segurança a todos que ali estavam, todos concentrados em ajudar uma jovem.

As pirâmides plasmadas.

Caboclos em todos os cantos e pretos-velhos sentados em banquinhos, pitando cachimbo e resguardando aquele lugar.

É quando, através de dados através do malhete pelo mesmo operador, Eulália é trazida à mesa.

– O que vocês querem de mim?

– Minha senhora, nós precisamos conversar.

– Conversar o quê? Eu não quero papo com ninguém. Acha mesmo que, com essa conversinha de que Jesus quer me ajudar, você vai me convencer a desistir de destruir essa aí? Acha mesmo? Quem é você homem?

Sabes, por acaso, quantas vezes essa aí busca ajuda em Centros Espíritas, e eles me chamam e tentam me convencer a deixá-la em paz?

Tens ideia de quem sou eu?

– Irmã, sabemos do seu poder. Sabemos da sua intenção, mas gostaríamos de te mostrar o quanto é inútil o que fazes.

– Inútil? Inútil é você tentar me convencer. Isso sim é inútil.

– Por que você persegue essa jovem? Não vê que está fazendo muito mal a ela?

– Porque essa desgraçada botou um filho no mundo, e foi o filho dela que destruiu o meu menino. Meu filho era um garoto bom, ele ia à igreja toda semana para pegar alimentos para nós. Ele cuidava de mim, até que meus aliados foram me buscar. Hoje, trabalhamos para destruir a quem me destruiu.

– Minha querida irmã, sabemos de seus poderes e de seus aliados. Na verdade, temos uma excelente proposta a te fazer.

– Proposta?

– Sim, uma proposta.

– O que você quer de mim, homem?

– Eu quero propor a você e aos seus aliados, que nos juntemos no trabalho do bem. Proponho que você use todos os seus conhecimentos, para que possamos auxiliar tantos espíritos em sofrimento.

– Eu vivi sob muita magia e feitiço, homem. Sou profunda conhecedora das estacas, dos miasmas, das larvas e dos implantes. Fui implantada pelos meus seguidores, na minha última vida, e não me arrependo de nada que fiz e faço. Aliei-me a eles, para podermos destruir quem sempre me destrói.

– Então, querida irmã, vamos utilizar os seus conhecimentos para o bem, para nos aproximarmos de Jesus e o auxiliar a curar almas feridas. Nada vai mudar para você e seu grupo, você pode continuar no Umbral mesmo, mas praticando o bem, utilizando a sua sabedoria para auxiliar àqueles que lá chegam em sofrimento.

– Não tenho motivos para mudar a minha vida. Vou continuar assim, até que eu consiga destruir essa aí. Tenho pactos que não podem ser rompidos.

– Querida irmã – diz o operador – agora, eu vou emanar sobre você, fluidos que vão lhe auxiliar a decidir. Precisamos da sua sabedoria e ajuda para nos aproximarmos de Paulo.

Naquele momento, Eulália dá um salto da cadeira.

A médium quase cai ao chão.

– Desgraçado! Você sabe onde está o meu filho... infeliz, eu vou destruir esse Centro Espírita, vou destruir todos vocês...

– Paulo precisa de nossa ajuda, irmã.

– Onde está o meu filho? Me diga, onde ele está?

– Ele está precisando de nós. – diz o operador. Ele está em um hospital sendo tratado.

– O que houve com ele?

– Você não pode ver, porque está cega fazendo o mal às pessoas, você precisa mudar, irmã.

– Eu já lhe disse, tenho pactos com amigos de longas datas. Não posso mudar meu destino.

– Vamos combinar assim: você deixa de obsidiar essa mulher e eu te levo ao encontro de seu filho, pode ser? Você poderá vê-lo e ajudá-lo.

– É uma boa proposta. – disse Eulália.

– Mas, não é só isso. – disse o sábio operador.

– O que mais tenho que fazer para encontrar o meu filho?

– É necessário que você aceite mudar a sua vida, é necessário que você aceite trabalhar ao nosso lado, é necessário que você aceite Jesus.

– Você me assegura que vou encontrar o meu filho?

– Eu lhe asseguro.

Após uma pausa...

– Está bem, eu te liberto da minha obsessão. – disse Eulália, olhando para a paciente que estava sendo assistida naquele dia.

– Vamos trazer os seus companheiros de maldade, para que todos possam nos seguir rumo ao encontro de seu filho. – disse o operador.

– Não acho conveniente trazê-los aqui.

– Precisamos da ajuda de todos.

– Vamos ver o meu filho e depois eu falo com o meu pessoal.

– Está bem! – disse o operador.

Naquele momento, Eulália foi levada ao Hospital Amor e Caridade.

Estamos Nina, Felipe e eu, ao lado deles, e assim chegamos à enfermaria 17.

– Olhe, aí está o seu filho. – disse o operador.

Eulália se aproxima, retira a coberta do filho e fica muito assustada com o que vê.

– O que houve com o meu menino? Esse aí não é o meu filho.

– Esse é o seu filho, Eulália, é que a sua condição atual

não lhe permitiu ver o crescimento de Paulo, que morreu aos 20 anos. Foi assassinado na comunidade em que vocês viviam.

– Mas, quem o matou?

– Os mesmos que você persegue na atual encarnação. Os filhos de sua obsidiada.

– Os filhos daquela desgraçada?

– Sim, os filhos dela.

– Eu vou voltar e destruir, definitivamente, aquela mulher.

– Fizemos um trato. Você só está aqui, porque disse que não vai mais persegui-la.

– Mas, vejam o que eles fizeram ao meu menino.

– Seu filho também fez muitas coisas erradas, Eulália. Inclusive, assassinou os filhos da mulher a quem você quer destruir.

– Não importa, ele é meu filho e vou me vingar de tudo o que fizeram a ele.

– Venha até aqui, por favor, Eulália. – disse Nina.

Naquele momento, tudo mudou ao nosso redor.

O ambiente hospitalar encheu-se de luz, e todos fomos trazidos, novamente, para o Centro Espírita.

Eulália estava calma e serena, parecia entorpecida pelo

feixe de luz que cobriu a todos nós.

Sentou-se à mesa e permaneceu calada.

O operador, então, coloca as suas duas mãos sobre a fronte de Eulália e faz uma linda prece.

Todos ficam quietos e impressionados.

O operador explica para todos o que está ocorrendo.

– Meus irmãos, a nossa paciente precisará vir mais algumas vezes ao nosso Centro, para darmos continuidade ao tratamento.

Eulália terá muita dificuldade em perdoá-la, teremos que nos empenhar em desarmar e destruir esse círculo vicioso de ódio que existe entre essas almas.

Não basta o paciente nos procurar e pedir ajuda, é preciso que ele promova as mudanças necessárias em seu íntimo, para que o nosso trabalho seja coroado com êxito.

Quando estávamos no hospital, percebemos que vinha em nossa direção uma carga muito grande de ódio. Nossa paciente nutre um ódio mortal por Eulália e seu filho. Sem o rompimento desse ódio, dificilmente iremos convencer Eulália a perdoar, definitivamente, a nossa assistida.

O amor é o único instrumento capaz de destruir e romper qualquer barreira, seja ela física ou espiritual.

Sem o perdão mútuo, não conseguiremos convencer

Eulália a deixar essa obsessão de lado.

Espero que em nosso próximo encontro, a nossa assistida compreenda que, para que consigamos êxito em nosso trabalho, é importante que ela perdoe e mude o seu coração.

Por hoje é isso, oremos.

Eu fiquei muito emocionado com o que vi naquele encontro.

Eulália certamente irá perdoar a jovem pela qual ela obsidia. Achei muito sábia a interferência de Nina naquele momento. Os fluidos que a Nina emanou sobre todos, revelou que não era o momento apropriado para darmos continuidade àquele processo, pois não havia perdão de ambos os lados e, certamente, iríamos fracassar e perder a oportunidade de ajudar aqueles irmãos.

Sem o perdão mútuo, nada é possível.

Nina percebeu a minha emoção e disse:

– Está emocionado, Osmar?

– Eu nunca imaginei, Nina, que poderíamos usar essa técnica para salvar tantas almas. Eu percebo que o trabalho não é fácil e que não depende só da dedicação dos envolvidos, mas, também, dos espíritos que estão sendo ajudados.

– Essa é uma das técnicas que chegaram e chegarão para

vocês. O Centro Espírita deve deixar de ser uma coisa morna e passar a ser um lugar de possibilidades infinitas, pois é uma porta aberta a todos aqueles que necessitam de ajuda.

Esse é o verdadeiro sentido da caridade, Osmar.

Se você tem os espíritos ao seu lado, porque não os explorar e ampliar o seu intelecto? Por acaso não confias que és médium, e que há possibilidades infinitas de amparo e auxílio a todos os que precisam de ajuda?

Do que adianta você ser médium, receber seu guia, mentor, doutor, e seja lá o que for, se não for para auxiliar espíritos em sofrimento? Só trabalhas para os encarnados? E os desencarnados, quem irá ajudar?

Palavras bonitas, textos reflexivos, consultas, adivinhações... será que é para isso que serve a sua mediunidade? Achas mesmo que estamos no Universo para isso?

Espíritos de Luz, Osmar, não se prestam a piorar o plano físico, pois não estamos aqui para fazer previsões e enganar, estamos no Universo para vos auxiliar, e não para vos confundir ou atrapalhar.

Por que não auxiliar os bilhões de espíritos que estão, nesse momento, nas regiões de sofrimento sem assistência terrena? Afinal, quem é que está nas regiões Umbralinas? Quem são os espíritos que precisam de ajuda?

Não seriam aqueles que algum dia viveram ao seu lado?

Por que negar oportunidades a esses irmãos?

Por que não socorrer seus familiares em sofrimento no Umbral? Quem garante que quem você tanto amou está no paraíso?

Vocês buscam ao Centro Espírita para pedir que nós, das Colônias, ajudemos aos que vocês amam e que, supostamente, estão no Umbral.

Onde estão aqueles que você tanto amou, no céu ou no inferno?

Por que não usar o Centro Espírita e a mediunidade para esse trabalho? Vocês são médiuns ou medrosos? Por que não socorrer a quem você ama? Tens o mesmo poder que nós, o que nos diferencia é o conhecimento. Enriqueça-se de conhecimento e serás capaz de muitas coisas. Porque não usar os conhecimentos e a sabedoria dos Orixás para ajudar aqueles que vagam sofrendo sem oportunidades?

Achas mesmo que somente com o Evangelho e palavras doces, vocês conseguirão modificar espíritos empedernidos e profundos conhecedores de magia? Achas mesmo que sem a ajuda, o amparo, e o auxílio dos trabalhadores da Umbanda vocês vão conseguir ajudar alguém que sofre?

Até quando vocês irão se propor a realizar supostos encontros espíritas, sem ao menos conhecer os seus fundamentos, para tentarem ocultar suas imperfeições e seus pecados?

Do que adianta vestir-se de falsa caridade quando, na verdade, estás é de olho no patrimônio do Centro Espírita, ou de olho na irmã recém-separada do marido?

Até quando tanta hipocrisia?

Até quando tanta mentira?

Parem de olhar só para quem se propõe a fazer e façam juntos.

Levante a bandeira da caridade e a coloque no lugar mais alto de sua consciência. Exerça-a com amor, pois sem o amor, não andarás para lugar algum.

Deixe de lado as sonolentas reuniões espíritas, arregace as mangas e faça caridade para espíritos encarnados e desencarnados, sem julgamentos, com bondade e amor no coração.

Kardec já vos deu a base. Agora, estude e siga em frente.

– Obrigado por tantos ensinamentos, Nina.

– Osmar, preste atenção agora. – disse Felipe.

Naquele momento, todos nós fomos desdobrados e conduzidos a uma região muito escura do Umbral.

Quase não enxergávamos o lugar.

O operador do Centro Espírita, trazia em sua mão, uma pequena tocha que iluminava o caminho em que seguíamos. A seu lado eu vi um lindo caboclo a nos proteger.

Íamos Nina, Felipe, o operador, alguns médiuns, eu e Eulália, a qual era carregada em uma maca por alguns amigos espirituais.

Todos estávamos desdobrados. Um tipo de desdobramento que eu nunca havia experimentado. Algo extremamente real.

Caminhamos dentro de um lamaçal por algumas horas, até chegarmos a um lugar onde só se via lama e abutres gigantes.

Os pássaros vigiavam as carniças aos seus pés. Eles estavam pousados em algumas árvores que não tinham folhas, eram um amontoado de galhos secos.

Eles faziam um barulho muito alto, ao perceberem a nossa aproximação.

Foi quando vimos uma luz.

– Olhem, temos que chegar àquela luz. – disse o operador.

Caminhamos por mais algum tempo até que chegamos.

Na verdade, a luz era de quatro espíritos que estavam nos esperando do lado de fora.

Havia uma senhora, de boa aparência, ao lado dos espíritos que aguardavam a nossa chegada.

Todos nós ficamos muito emocionados com aquele encontro.

Eulália seguia deitada e desacordada na maca.

Aquela senhora aproxima-se de nós e, após os maqueiros repousarem o corpo de Eulália ao chão, ela a abraça e diz, emocionada:

– Minha filha, que bom que a encontrei.

O momento foi de muita comoção.

– Esta é a mãe de Eulália, que deixaremos aqui para cuidar de sua filha. – disse Nina.

– Que lindo encontro.

– Sim, Marta vive na Colônia Redenção, e Daniel pediu que ela viesse ajudar sua filha.

– Por que ela não veio antes?

– Merecimento, lembra?

– Sim.

– Somente agora é que Marta conseguiu a luz necessária para vir ver e ajudar sua filha Eulália. Confiemos na misericórdia divina e no perdão. Vamos ficar em apoio a Eulália, para que ela consiga perdoar e, finalmente, ir ao encontro de Paulo.

– Sim, com certeza, com a ajuda da mãe, ficará muito mais fácil para Eulália perdoar.

– Fizemos a nossa parte, agora, depende muito de a assistida querer mudar os seus pensamentos e desejar o perdão.

– Sim, Nina, não depende apenas do Centro Espírita, é necessário que todos os envolvidos queiram a vitória.

– E ela está disponível em todos os lugares, Osmar.

– Obrigado, Nina.

– Vamos voltar ao Centro Espírita.

Todos nós voltamos para lá.

– Missão cumprida. – disse o operador, experiente daquela mesa de Deametria.

Após todos os anéis de proteção terem sido desfeitos e todos os médiuns retornarem de seus desdobramentos, a sessão foi encerrada e nós voltamos para o hospital. Os caboclos e pretos velhos antes de irem embora, limparam todo o lugar, retirando energias negativas e densas. O ambiente ficou limpo e perfumado.

– Muito bom ver tudo o que vimos hoje, Nina.

– Espero que não esqueça de nenhuma palavra.

– Está tudo anotado.

– Que bom.

– Eu posso te perguntar uma última coisa, Nina?

– Sim.

– E o Paulo, o que vai acontecer com ele daqui para frente?

– Como você mesmo pôde ver, o Paulo passa pelo refazimento perispiritual. Assim que suas condições estiverem restabelecidas, ele será levado para a conscientização e será planejada uma nova oportunidade evolutiva ou, quem sabe, ele esperará pela sua avó e sua mãe.

– As coisas acabam se ajeitando, não é, Nina?

– O que ajeita tudo, Osmar, é o amor. Sem ele nada disso seria possível.

– É verdade. Gratidão, Nina.

– Não agradeça.

– Já sei, escreva...

Risos...

– Gratidão, Felipe.

– Escreva...

Nos abraçamos e eu voltei para casa...

> O amor é tudo o que o espírito precisa para se tornar perfeito.

Osmar Barbosa

Lourenço

Passados alguns dias, eu comecei a refletir sobre tudo o que ouvi de Lourenço, e fiquei muito preocupado. Confesso que não fiquei à vontade com tudo o que ele falou.

Meus questionamentos eram muitos.

Eu estou no espiritismo há mais de 40 anos. Já vi quase tudo nessa vida espírita, mas o que Lourenço disse sobre espíritos em sofrimento, deixou-me muito preocupado e eu gostaria de compreender mais sobre isso.

O que será que eu posso fazer para ajudar esses irmãos?

Como assim, bilhões em sofrimento?

Meu coração estava em pedaços.

Sentei-me em meu escritório, abri as janelas e fiquei olhando para o nada. Meditando sobre aquelas palavras.

Se fui capaz de abrir um Centro Espírita, que realiza mais de dois mil atendimentos por mês, não seria mais fácil tentar ajudar os espíritos desencarnados?

Que tipo de trabalho eu poderia desenvolver para ajudar esses irmãos?

Nós temos muita dificuldade em reunir pessoas com os mesmos propósitos que o nosso. A vida na Casa Espírita não é fácil.

As pessoas chegam, admiram o trabalho, querem fazer parte, mas quando cobramos uma rotina de estudos e transformações, elas nos abandonam.

Quando exigimos que cumpram determinadas tarefas educacionais, é o suficiente para inventarem uma desculpa e se afastarem da Casa Espírita.

Eu compreendo que temos de zelar pelo nosso ganha-pão.

Eu entendo que temos que nos preocupar com o futuro dos que amamos. Principalmente, daqueles que amamos e não são espíritas.

Agora, o que eu não compreendo, é que as pessoas nunca têm um tempinho para moldarem seus espíritos para as próximas vidas. Uma semana tem sete dias e 168 horas, será que não podemos reservar, pelo menos, duas horas para nos dedicarmos ao Senhor? Para nos dedicarmos ao trabalho da caridade e do amor ao próximo?

Eu não compreendo o porquê das pessoas juntarem tanto dinheiro no banco da vida, e sequer se preocuparem em juntar patrimônio espiritual, se é esse o nosso maior patrimônio. É da nossa melhora espiritual que precisaremos para viver feliz em qualquer lugar do Universo.

Sabemos que tudo o que deixamos, torna-se motivo de brigas, discórdias, desunião e, por vezes, até o fim de uma família que tanto lutamos para unir e educar.

Eu descobri ainda novo, assim que conheci o espiritismo, que o maior patrimônio que posso ter é a minha elevação espiritual, pois com ela eu poderei ajudar aqueles que deixarei um dia na Terra. Eu compreendi que estando elevado espiritualmente, poderei fazer muitas coisas pela família que tanto amo. Pelos filhos que amo profundamente.

Quando eu me converti definitivamente ao espiritismo, a primeira coisa que fiz foi dividir o meu patrimônio com os meus herdeiros. Para cada um, dei o que tinha e fiquei sem nada.

Não tenho nada material, graças a Deus.

Mas, tenho muita coisa espiritual... graças a Deus.

Preocupo-me sempre com os espíritos, sejam eles encarnados ou desencarnados. Aquelas palavras do Lourenço convidaram-me a refletir profundamente... o que será que eu posso fazer para auxiliar espíritos em sofrimento?

Posso fazer ainda mais?

O que posso fazer através dessa técnica para auxiliar mais irmãos?

As visitas que fizemos ao Centro Espírita que realiza trabalhos desdobrados, deixaram-me naquele estado.

Eu ainda não tinha recebido todo o livro, mas já estava decidido: preciso fazer mais.

Eu estava olhando os pássaros que voavam em direção à praia.

O meu escritório fica próximo à praia, lugar que sempre utilizo quando preciso refletir.

Passados alguns minutos, Nina chega para me ver.

– Oi, Osmar.

– Oi, Nina.

– Por que você está triste?

– Eu fiquei triste depois daquelas palavras do Lourenço.

– Quais?

– Fiquei triste, porque há tantos irmãos espíritas trabalhando em prol da caridade, mas com pouco aproveitamento.

– Pouco aproveitamento?

– Sim, agora eu compreendo que não são as campanhas que auxiliam as pessoas, não são os projetos de amparo que as ajudam, portanto, precisamos e podemos fazer mais.

– Osmar, quando você alimenta quem tem fome, você atende aos anseios do Cristo. Quando vestes quem sente frio, agradas ao Senhor, quando visitas um doente, alegras a espiritualidade, mas nada disso tem valor, se junto dessas atitudes não houver a palavra.

– A palavra?

– Sim, eu vou te falar em parábola, pode ser?

– Sim, claro.

– Se tens um rebanho de caprinos e você os alimenta todos os dias, o que terás no final de um período?

– Um rebanho forte e bem alimentado.

– Se tens alguns filhos e os alimenta como os caprinos, o que terás ao final?

– Crianças bem alimentadas.

– Pois, bem! Se alimentas seus filhos e os educa, o que terás?

– Ótimos filhos.

– Pois é isso, se só se preocupas em alimentar, terás um bom rebanho, mas se além de alimentar, você também educar, terás criaturas que construirão algo ao redor delas, não serão simplesmente passantes, serão algo melhor.

– Compreendi, Nina.

– O que compreendestes?

– Eu compreendi que não é só de alimento que vive o espírito.

– Nem só de pão viverá o homem, Osmar... disse Jesus.

– Sim, agora eu compreendo as palavras de Jesus. Devemos alimentar quem tem fome e dar de beber a quem tem sede, agasalhar os que sentem frio, mas acima de tudo, devemos dar o alimento vivo que é o seu Evangelho.

– Isso, Osmar, parabéns!

– Mas, como fazer isso, Nina?

– Perseverança e disciplina. Não desista de ninguém, pois uma alma que ora, pode lhe salvar do sofrimento.

– Como assim?

– Se tens alguém orando por você, é bom sinal.

Sabe Osmar, Deus nos ouve em silêncio.

Deus não nos ouve em preces decoradas ou orações instantâneas, aquelas que foram gravadas em nossa mente desde pequeno. Essas, são inúteis, pois oração sem coração não serve para nada, é tempo perdido.

O espiritismo vos foi revelado como a última palavra, sois os trabalhadores da última hora. E o que estão fazendo os espíritas?

– Tenho vergonha, Nina.

– Não tenha, faça a sua parte. Imagine nós, que temos um pouco mais de compreensão, vendo o que está acontecendo com o espiritismo? Imagine como nos sentimos.

– É por isso que estou triste assim, Nina. Quanta bobagem, quanto tempo perdido, estamos fazendo igual aos outros, estamos nos perdendo nos labirintos do ego, da vaidade e do desamor.

É muita mentira envolvida, é muita enganação, não só dos espíritas, mas de todos os que estão dentro dessa religião.

Quanta hipocrisia! Quanta falsidade, quanto desamor...

Isso me deixa muito triste, Nina.

– Jesus vivia triste, Osmar.

– É, eu sei.

– Sabes por que Jesus vivia pelos montes meditando?

– Não.

– Porque Ele não compreendia a dificuldade das pessoas que o cercavam em amar como Ele as amava.

Porque Ele via que muitas de suas palavras e ensinamentos eram distorcidos e, pior, eram modificados para atender interesses escusos.

Osmar, aqueles que se propõem a fazer o bem, devem estar preparados para suportar os julgamentos, as calúnias, a ingratidão, as injúrias e todas as mazelas do espírito em expiação.

– Eu compreendo perfeitamente isso, Nina. Já não me aborreço mais com esses julgamentos e muito menos com essas pessoas.

O que me entristece é ver pessoas que podem fazer tanto pelos outros e não fazem. Só estão preocupadas em preencher seus vazios e não enxergam isso.

— Osmar, você sabe por que Jesus só começou sua tarefa aos 30 anos?

— Não faço a mínima ideia, Nina.

— Porque se Ele tivesse começado aos 15 anos, morreria aos 18.

Se Ele tivesse começado aos 12 anos, morreria aos 15.

E se Ele tivesse começado aos 70, teria morrido aos 73.

Três anos, Osmar, três anos foram suficientes para o levarem para a Cruz.

— Se fosse nos tempos de hoje, certamente, Ele não morreria na Cruz.

— Seria assassinado por algum desafeto, pode ter certeza.

— Meu Deus, como somos imperfeitos ainda.

— Mas, estão no caminho. Era assim que Jesus pensava. Não importa o destino, Eu tenho que mostrar o caminho. E, assim, Ele o fez. Nos direcionou. Se quiser pegar um atalho, o problema é seu, se se perder no caminho, Ele lhe encontrará, e assim, caminha a humanidade.

— É, Nina, não é fácil.

— Você está melhor agora?

— Conversando com você não tem como ficar triste.

— Osmar, qual era mesmo o motivo da sua tristeza?

– O que posso fazer para ajudar mais irmãos?

– Olha, eu posso te aconselhar, o que achas?

– Eu acho ótimo.

– Então, preste muita atenção.

– Vamos lá.

– Você já faz um grande trabalho, devemos reconhecer que você se superou e atende àquilo que se propôs nesta encarnação. Muitas pessoas gostariam de saber disso, não é?

– Sim, sinto-me privilegiado em receber essa informação. Na verdade, todos gostariam de saber como estão espiritualmente.

– Mas, isso não é permitido. Imagine se todo espírito que desencarnasse, trouxesse no dia seguinte, informações sobre seu estado e o que anda fazendo na vida eterna?

– Seria muito bom, mas creio que não seja permitido.

– Nós não temos permissão e não devemos interferir na vida corpórea. Nenhum espírito tem permissão para passar todas as informações sobre a vida após a vida.

Orientamos, psicografamos, intuímos, direcionamos, tudo através de permissões, as quais o próprio encarnado conquista.

Esta conversa que estamos tendo agora, só é possível, por causa de seus merecimentos. Esse mérito só foi permitido, por meio das suas transformações.

Muitos médiuns se perdem no meio do caminho, porque quando conseguem estabelecer esse contato, são tomados pela vaidade, e quando isso acontece, nós somos os primeiros a ir embora. Não estamos aqui para atrapalhar, nem para informar aquilo que não nos é permitido. Há regras no Universo e elas são cumpridas, querendo ou não.

– Entendo, Nina.

– Vamos ao que você quer saber.

– Sim, vamos.

– Osmar, o espiritismo foi trazido por Allan Kardec há, aproximadamente, 150 anos. Kardec vos deu a direção, assim como Jesus o fez.

– Certo.

– Direcionados estão. Sendo assim, sigam os caminhos, pois esse foi seu objetivo e o direcionamento que vocês necessitavam naquela época para estarem onde estão hoje.

Não se iludam com a mediunidade, ela deve ser exercida para o amparo... sempre.

Existem algumas ferramentas e leis, as quais vocês, médiuns, podem usar para auxiliar não somente os encarnados, mas, principalmente, os desencarnados que estão, nesse momento, em maior número em sua dimensão.

Não é justo que vocês abram Centros Espíritas no plano físico, apenas para atender aos espíritos que expiam no corpo físico. É bom lembrar, que a relação do Centro Espírita é sempre com espíritos.

– Sim, o nosso trabalho é com espíritos, estejam eles encarnados ou não.

– Então, por que julgam, separam, expulsam?

– Eu não faço isso, Nina. Eu acredito em espíritos, e sendo espíritos, estou pronto para ajudar.

– Você pensa certo. Você age certo, você compreendeu a Doutrina Espírita.

– Nina, eu penso assim: se o Centro Espírita foi entregue pelos espíritos, então é para auxiliar espíritos, e não importa quem é esse espírito. Os que estão em sofrimento são os mais necessitados, esteja ele encarnado ou não.

Eu jamais colocaria na porta do meu Centro, uma placa em que pudesse ser lido: "aqui não pode entrar esse ou aquele irmão".

O que vemos, infelizmente, é muita discriminação. Muita maldade com espíritos que sofrem.

Homossexuais não são aceitos, pobres nem podem entrar, a não ser em dias específicos, os quais egos inflados entregam nas humildes mãos, sacolas com roupas usadas e alimentos. Encontros nos quais alimentam-se as redes sociais com fotos de supostas caridades. Muitos precisam desses momentos para se intitularem caridosos.

Eu não acho que o Centro Espírita deva se prestar a esse tipo de serviço.

Para mim, Centro Espírita nem deveria ter portão, quiçá, discriminação.

É isso o que me deixa triste, Nina.

– Mas, você está indo bem, como já disse.

Osmar, o Ventania já lhe ensinou como você pode ajudar mais espíritos, não foi?

– Sim, ele fez algumas sessões de desdobramento. Encontros inesquecíveis.

– Pois bem. O caboclo Ventania trabalhou muito para que vocês tivessem os recursos necessários para a construção do hospital e do Centro Espírita, onde agora, vocês irão implementar um novo trabalho.

– Agora eu me animei, Nina, o que temos que fazer?

– Você vai reunir um grupo de médiuns e aprofundar os estudos do desdobramento. Não se preocupe, pois nós estaremos ao seu lado para vos auxiliar e instruir.

– Onde faremos esse trabalho?

– No Centro Espírita em que o Ventania lhe permitiu construir.

– No terreiro de Umbanda?

– Sim, é o melhor lugar para você realizar esse trabalho.

– Certo.

— As estruturas espirituais e a segurança estão plasmadas, e o trabalho nesse lugar é seguro. Você ainda não vai poder explicar como a técnica funciona, pois o Ventania irá lhe mostrar como fazer. No tempo certo escreveremos um livro explicando como aplicá-la para que todos aqueles que se interessarem, aplicá-las em seus centros de Umbanda.

— Precisamos de tanta segurança assim, para realizar a Deametria?

— Sim, pois vocês irão lidar com espíritos muito inteligentes e espertos, professores da maldade, e para que vocês possam anular as suas forças e destruir suas fortalezas, é necessário que o ambiente seja seguro, afinal, vocês irão mexer com algo desconhecido e não seria prudente, deixarmos qualquer mal acontecer.

— Sou-lhe grato, Nina.

— Não agradeça, estude e, no momento certo, Ventania vai lhe autorizar a começar os atendimentos.

— Certo.

— Eu posso te fazer mais uma pergunta?

— Sim, claro.

— Por que o Centro de Umbanda é o local mais seguro para realizarmos a Deametria?

— Osmar, preste muita atenção.

— Ok.

– Onde vivem os espíritos que trabalham nos Centros de Umbanda?

– Em Aruanda.

– Em que dimensão?

– Terceira.

– Muito bem. Em que dimensão você está?

– Terceira.

– Então, quer dizer que você e todos esses espíritos estão na mesma dimensão?

– Sim.

– Então, todos os que vivem nessa dimensão, experimentam coisas dessa dimensão, certo?

– Sim, estamos todos no mesmo lugar.

– Qual soldado você usaria para uma demanda de sua dimensão?

– Um soldado da minha dimensão.

– Está explicado. Para se combater algo da sua dimensão, precisas de coisas da sua dimensão. Os espíritos aos quais vocês vão lidar, são magos que utilizam-se de coisas e elementos de suas dimensões, aos quais esses soldados são profundos conhecedores.

Assim, o combate é feito com as mesmas armas, com os mesmos fluidos e com os mesmos instrumentos, entende?

– Perfeitamente.

– Osmar, quais os tipos de polícia vocês têm em sua dimensão física para vos defender?

– Temos várias.

– Você pode citar algumas?

– Sim. Polícia Federal, Polícia Civil, Polícia Militar, Guarda Municipal, entre outras.

– E todas trabalham da mesma forma, com as mesmas leis, com as mesmas armas, com os mesmos equipamentos?

– Não, cada uma tem a sua área de atuação, suas leis e suas armas. Até presídios diferentes.

– Assim são as entidades da Umbanda. Para cada demanda, um tipo de arma, um tipo de polícia, um tipo de lei, um tipo de presídio.

Para o trabalho em sua dimensão, são necessárias essas forças policiais diversificadas, pois para cada obsessor aplica-se uma lei, uma arma, um presídio, entende?

– Sim.

– Para que essas forças malignas sejam anuladas ou neutralizadas, deve-se usar uma força específica e preparada para cada espírito, para cada situação, e para cada lugar dentro da imensidão de seu plano.

Não se pode entrar no Umbral e destruir as estruturas malignas sem conhecimento, sem armamento apropriado e sem leis específicas, entende? – Perfeitamente, Nina. Só lamento aos que não irão ler estas linhas. Lamento por aqueles que perdem a oportunidade de aprender e ensinar, de se reeducarem e auxiliarem os espíritos em tão árdua tarefa.

Compreendi perfeitamente o seu ensinamento e vou dedicar-me aos estudos, para auxiliar mais e mais pessoas e espíritos com o nosso trabalho.

– Há inúmeras formas e possibilidades de amparo. Exercite o bem, que o bem te achará.

– Obrigado, Nina.

– Mais alguma coisa?

– A última?

– Vamos lá.

– Como é a relação de vocês, espíritos mais evoluídos, com os Centros de Umbanda?

– Osmar, os espíritos são graduados conforme a sua evolução. Eu trabalho na Colônia Amor e Caridade. Tenho um trabalho específico lá, como vocês já sabem.

A nossa relação é muito boa, como deve ser toda a relação construtiva.

Sempre que precisamos, pedimos auxílio a esses espíritos que estão no seu dia a dia. Lembre-se que estamos em dimensões diferentes.

São amigos e buscam ascensão, assim como eu, um dia, também busquei a minha. Na verdade, eu continuo buscando.

Certamente conseguirão ascender ao nosso plano, pois quem busca, acha, como está escrito.

– Que legal saber disso, Nina.

– Estamos no Universo para auxiliar todos os que necessitam, não importa quem sejam, onde ou em que estado estejam. Assim disse o Senhor: Amai-vos como Eu vos amei...

– Gratidão, Nina.

– Até breve, Osmar.

Ela me deixou, a janela já não estava mais aberta, e os pássaros já haviam chegado à praia.

O Sol, da tarde quente de verão, aquecia o meu corpo, e a minha mente estava aliviada com tantos ensinamentos.

Vamos em frente, vamos pôr em prática as instruções de Nina Brestonini.

Obrigado, Deus, por me permitir plasmar mais este trabalho na Tenda Espírita Santa Catarina de Alexandria.

Naquele dia, eu fiquei muito feliz e ansioso para montar o grupo de Deametria, e assim, auxiliar mais e mais espíritos.

Gratidão!

> *A Umbanda é paz e amor, um mundo cheio de luz.*

Osmar Barbosa

De volta à Deametria

Temos falado muito sobre a Deametria até aqui, portanto, decidi escrever um breve resumo sobre a técnica, para que todos fiquem cientes de que essa é, seguramente, uma ferramenta indispensável àqueles que desejam fazer o bem.

A Deametria é um tratamento espiritual, criada por José Lacerda de Azevedo, e realizada através do desdobramento dos corpos espirituais que cada ser encarnado possui.

O termo Deametria vem do *De* de; deslocamento, o *A* de; astral e *Metria* de; Metron - relativo aquilo que se mede.

Assim, a Deametria é definida como uma técnica que se propõe a estudar aquilo que está além das formas de medidas convencionais.

Ela pode ser aplicada em qualquer pessoa, pois com a técnica do desdobramento dos corpos e níveis, é possível tratar qualquer criatura.

É uma técnica regida por leis, e a primeira lei da Deametria, é a lei do desdobramento espiritual.

Através de pulsos magnéticos e ordens espirituais, é possível desdobrar qualquer pessoa, podendo estabelecer um contato simples e direto com o plano espiritual.

Existem outras leis, que definem toda a teoria e a prática da Deametria.

Essas leis são utilizadas para:

1 - O reacoplamento dos corpos espirituais;

2 - A ação, à distância, do espírito desdobrado, com os chamados campos de força, que são criações mentais protetoras da psicosfera do ambiente;

3 - A revitalização dos médiuns, com a condução de encarnados e desencarnados aos hospitais espirituais situados nas Colônias;

4 - A ação dos espíritos socorristas aos pacientes desdobrados;

5 - O ajustamento de sintonia vibratória entre as entidades em diferentes dimensões;

6 - O deslocamento do espírito no tempo e no espaço, levando o espírito a algum nível ou até a personalidade do encarnado, para visualizar o seu passado e/ou até mesmo o futuro;

7 - A dissociação do tempo, ou seja, um espírito, nível ou personalidade, poderão sentir diretamente as consequências das suas escolhas e atos;

8 - A ação telúrica dos espíritos que evitam a encarnação, espíritos rebeldes à reencarnação e que conseguem driblar o processo, mas que são atraídos através dos comandos da Deametria, e começam a sentir a atração do magnetismo da Terra e, a partir daí, são puxados para um novo nascimento, dentre outras.

Além das leis da Deametria, existem ainda um conjunto de técnicas de invocação dos guardiões da Umbanda que são chamados ao auxilio e mais duas técnicas importantes.

Essas técnicas são: *Dialimetria* e *Eteriatria*.

São técnicas que consistem em tornar o corpo espiritual, etérico e astral mais maleável, flexível e permeável. Diminui-se a coesão energética daquele corpo e prepara-o para se tornar mais receptivo às irradiações dos operadores Deamétricos, sejam encarnados ou desencarnados, emanando sobre eles correntes de alta frequência, que circulam por seus corpos sutis, trazendo alívio e cura para certas energias deletérias impregnadas.

A *Pneumiatria* vem de Pneuma, que significa "sopro" ou "espírito". É a técnica que permite a cura do espírito, fazendo-o encontrar a paz e a harmonia dentro dele mesmo, através da percepção da presença do Cristo que reside em cada um de nós.

Temos, ainda, a Despolarização dos estímulos de memória. Consiste em apagar da memória de um espírito sofrimentos e os erros cometidos no passado, despolarizando sua memória e impregnando sua consciência de pensamentos positivos e elevados.

Embora esta técnica possa trazer benefícios, eu acho muito mais eficaz a realização do tratamento dos erros e dos sofrimentos do passado, do que meramente apagá-los de suas memórias.

Tratamento para magos negros:

A Deametria oferece um conjunto de técnicas que tratam esses espíritos, neutralizando as ações mento-magnéticas negativas.

Além dessas técnicas, há o método da condução de espíritos para tratamento em templos no passado; a utilização de espíritos da natureza ou elementais nos trabalhos; a esterilização do ambiente; os diagnósticos psíquicos (telemnese); técnicas de imposição de mãos para a cura magnética; técnica de cura de lesões do corpo astral de espíritos sofredores; técnica de cirurgias astrais; técnica de destruição de bases astrais maléficas; técnica de inversão de spins das entidades dentre várias outras técnicas que são utilizadas em grupos Deamétricos.

Enfim, a Deametria vem como um instrumento muito eficaz para o tratamento de espíritos que insistem em obsidiar seus desafetos, e que mesmo sem perceber, vivem em regiões remotas, sofrendo muitas vezes pelo total desconhecimento da vida após a vida.

É uma técnica em que o amor deve sobrepor qualquer intenção, pois a unicidade das mentes operantes e a vontade de fazer o bem, devem estar acima de tudo. Além é claro do amparo e auxílio dos espíritos amigos da Umbanda.

Não te condenes, o remorso não reconstruirá os desmandos do ontem.

Não te desesperes, a mente transtornada arruinará a saúde necessária.

Não maldigas, nem blasfemes a energia negativa, da tua mente revoltada, turvará tuas iniciativas e determinará bem triste sorte.

Não desanimes nunca. Renova esperanças com a boca que enganaste, dirás a palavra que esclarece e a oração que redime.

Confia sempre, com a mesma mão que feristes, abençoarás o ofendido e pensarás as chagas que criastes.

Ora, vigia, espera e trabalha com o mesmo braço que destruístes, edificarás o leito para o enfermo, e o teto para o desabrigado e o lar para o órfão.

Aproveite a oportunidade que a reencarnação te concede e a benção que o esquecimento te proporciona. Com dedicação e afeto de mãe adotiva, te redimirás do ato impensado que gerou a revolta do pequenino indefeso abortado.

Persista no bem. Ama e perdoe sempre, para que o reencontro com o Supremo Amor e Bondade te liberte para sempre, da dor e sofrimento do pecado.

Yasmin

Naquela manhã, eu estava escrevendo um livro ao lado do Lucas. Estávamos em Amor e Caridade.

– Osmar, venha comigo, vamos até a escola, pois a Nina precisa falar com você.

– O que será que houve?

– Não sei. Ela me pediu para levá-lo lá.

– Como assim? Estávamos indo em direção ao prédio da regeneração e confesso que não vi ninguém te procurar para dar o recado.

– Quando você chegar aqui, definitivamente, muitas de suas capacidades lhe serão restabelecidas. E uma delas é a comunicação telepática.

– Sério?

– Sim, como temos o aparelho fônico disponível somente nos corpos físicos, nos comunicamos telepaticamente.

– Que legal!

– Sim, eu também acho muito legal.

– Mas, não dá uma confusão de pensamentos?

– Como assim?

– Sei lá, se vocês se comunicam telepaticamente, vocês não ouvem as conversas dos outros?

– Não, claro que não.

– Então, como isso é possível?

– Você direciona o pensamento a quem você quer se comunicar.

– Como?

– Osmar, seu pensamento é tudo. Basta você desejar que a mensagem atinja determinada pessoa, que a mensagem é captada por essa pessoa, entende?

– Um pulso?

– Sim, é como um pulso magnético. Você comanda e ele atinge o objetivo.

– Quer dizer que se alguém comandar um pulso em minha direção, eu o percebo e capto?

– Exatamente, você percebe um pulso em sua direção e o capta.

– Como funciona isso? Você tem algum exemplo para nos dar?

– Sim, tenho um exemplo.

– Pode nos explicar?

– Sim. Sabe quando você está em um determinado lugar e subitamente você sente um calafrio? Ou quando o seu corpo se arrepia e você nem imagina o motivo?

– Sim, é muito comum acontecer isso.

– Isso é um pulso, algo direcionado a você e que o seu corpo captou. É assim que recebemos os impulsos. Nós o sentimos, entende?

– Perfeitamente. Obrigado, Lucas, eu compreendi e acho que todos compreenderão também.

– Quando captamos esse pulso, abrimos o nosso consciente e nele recebemos a mensagem. O espírito tem muitas capacidades que estão adormecidas pela deficiência do corpo físico.

– Somos limitados, não é?

– Muito. A densidade do plano em que habitas, lhes subtrai sensações e percepções que só lhes serão restituídas, após a libertação do espírito.

– Eu não vejo a hora de me libertar.

– Não tenha pressa, todos se libertarão.

– É verdade, Lucas.

– Osmar, a morte faz parte da vida.

– Obrigado, amigo.

Estávamos nos aproximando da escola que existe na Colônia Amor e Caridade.

Essa escola é onde as crianças que desencarnam de câncer são recebidas e evangelizadas.

– Estamos chegando, Osmar.

– No livro *Colônia Espiritual – Dias de Luz*, vivenciamos experiências incríveis aqui nessa escola.

– Eu me lembro.

– Quantos alunos têm aqui, Lucas?

– Aproximadamente, 250 alunos.

– Caramba! Dá trabalho?

– Muito. Venha, a Nina nos aguarda.

Entramos na escola e todas as crianças estavam em sala estudando.

Caminhamos pelo extenso corredor até chegarmos à sala da administração, onde Nina estava sentada nos aguardando.

Lucas bate à porta e Nina permite a nossa entrada.

– Olá, Osmar!

– Oi, Nina.

Lucas e Nina se abraçam.

– Sentem-se, por favor.

Havia quatro cadeiras posicionadas bem em frente à mesa de Nina.

– Está tudo bem, Osmar?

– Sim, Nina.

– Deixe-me te dizer uma coisa.

– Sim.

– Primeiramente, eu quero pedir desculpas ao Lucas, por ter tirado o Osmar da psicografia que ele está escrevendo com você.

– Sem problemas, Nina.

– Vocês não vão ficar chateados comigo?

– Claro que não. – respondemos quase juntos.

– É que nós precisamos, urgentemente, terminar a psicografia do livro Hospital Amor e Caridade. Há uma prioridade nesta obra.

– Sem problemas. – disse Lucas.

– E você, Osmar, não vai dizer nada?

– Nina, eu sou um instrumento. Sigo ordens, espero vocês dizerem o que tenho que fazer.

– Então, estamos acordados?

– Sim. – disse Lucas.

– Sim. – eu disse.

– Osmar, eu vou pedir ao Lucas para levá-lo de volta ao Hospital Amor e Caridade. Logo que você chegar lá, haverá uma menina sentada na recepção do Hospital. Fique com ela até a minha chegada, por favor.

– Estou indo.

– Leve-o, por favor, Lucas.

– Estamos indo.

Nos levantamos e deixamos a escola.

Caminhamos até a entrada do Hospital Amor e Caridade, e eu estava muito ansioso para terminar o livro. Parece que a Nina ouve meu coração. Ou será que ela sente?

– Olhe, Osmar, lá está o hospital. – disse Lucas assim que chegamos ao grande portão que dá acesso ao hospital.

– Você não vem comigo?

– Eu tenho algo muito urgente para resolver.

– Recebestes alguma mensagem?

– Nós as recebemos a todo instante, Osmar, mas se quer saber, recebi sim, o Daniel me chama.

– Vá lá meu amigo, eu vou procurar a menina que me aguarda na recepção do hospital.

– Ela está te esperando. O nome dela é Yasmin.

– Bem lembrado, eu havia esquecido de perguntar o nome dela para a Nina.

– Osmar, você vai gostar muito de conhecê-la.

– Até breve, Lucas.

– Até breve, Osmar.

Lucas me deixou, e eu me pus a caminhar em direção ao hospital, eu estava muito ansioso para conhecer Yasmin.

A beleza do lugar me fascina.

Toda vez que chego a este hospital, eu paro um pouco antes de entrar, para admirar tamanha perfeição.

Após alguns minutos, adentrei à recepção e logo vi uma jovem sentada me esperando.

Aproximei-me lentamente.

– Oi.

– Olá.

– Você é a Yasmin?

– Sim. Você se lembra de mim?

– Não, não lembro.

– Eu te vi lá na sala cinco, fui eu quem te deu o copo com água, você estava muito emocionado.

– Ah, sim, você estava de máscara. Agora, olhando melhor, lembro-me de seus olhos, que por sinal são lindos.

– Eu sou enfermeira aqui do hospital. E, obrigada pelo elogio.

– Mas, você é tão jovem.

– Eu tenho apenas 19 anos.

– Que legal, Yasmin.

– A Nina me pediu para te mostrar algumas coisas aqui do nosso hospital, revelar a você quem realmente sou e falar sobre os motivos que me trouxeram para cá. Meus objetivos, meus sonhos e minhas realidades. Acredito que você ficará muito impressionado com tudo o que tenho para te contar e te mostrar.

– Nossa, que legal.

Yasmin é morena, de olhos verdes como duas esmeraldas. Mede, aproximadamente, 1 metro e 65 de altura, tem a pele clara e é, extremamente, bonita. Seus cabelos são longos e seu sorriso, indescritível.

– Você é muito bonita Yasmin.

– Obrigada, Osmar.

– Venha, vamos caminhar por nosso hospital.

– Vamos.

Nos levantamos e começamos a conhecer todas as enfermarias e as alas de atendimentos.

Visitamos, primeiramente, as enfermarias na parte inferior do prédio.

Logo em seguida, subimos para o segundo andar, onde há outras enfermarias e dois centros cirúrgicos.

Visitei, também, uma sala de instrumentação. Lugar onde são guardados vários equipamentos.

O prédio é muito grande.

Após visitarmos o hospital, Yasmin me leva até três prédios anexos menores.

O primeiro é uma grande lavanderia.

O segundo é onde ficam as macas de transporte dos espíritos que são resgatados, e alguns equipamentos.

O terceiro é o prédio onde descansam os espíritos que trabalham no hospital.

Tinha, ainda, um pequeno galpão, bem ao fundo, onde eu pude ver alguns veículos de transporte.

O lugar é imenso e estava lotado de espíritos sendo tratados, e tantos outros trabalhadores.

Tudo muito bem organizado e todos estavam felizes.

– Muito legal tudo aqui, Yasmin.

– Gostou?

– Sim, estou impressionado com a organização e, principalmente, com a limpeza.

– Estamos aqui há muito tempo.

– Que bom.

– Osmar, venha comigo, vamos nos sentar no jardim, pois eu tenho algo para te mostrar.

Caminhamos até os jardins do hospital. Yasmin procurou um banco desocupado, embaixo de uma parreira de flores de cor lilás.

– Sente-se, Osmar.

Sentei-me ao lado de Yasmin, e esperei que ela me dissesse o que fazer.

– Sabe Osmar, eu tenho que me preparar para te contar um pouco da minha vida.

– Sou "todo ouvidos", não se preocupe, temos o tempo a nosso favor.

– A Nina é minha melhor amiga. Ela me pediu que te contasse a minha história, pois tudo começou aqui neste hospital.

– Aqui?

– Sim, eu estou aqui há, aproximadamente, 20 anos.

– Nossa, tanto tempo assim?

– Sim, eu cheguei aqui há bastante tempo e muito ruim. Eu fui socorrida e trazida para cá.

Hoje, trabalho nas enfermarias aplicando técnicas energéticas, para auxiliar os pacientes que chegam muito ruins das regiões de sofrimento e dos Umbrais. Sabe Osmar, o conhecimento das técnicas da magia e de Alquimia são muito úteis em qualquer lugar.

– Fique tranquila para me falar, Yasmin.

– Vamos lá. – disse a jovem tomando fôlego. Eu preciso que você me acompanhe, tenha calma e anote tudo com muito cuidado.

– Já estou desdobrado mesmo, vamos em frente.

Naquele momento, fui levado por Yasmin até o Egito.

> *As experiências da carne, aperfeiçoam o espírito.*

Alice

Egito

Chegamos ao Egito. Eu pude reconhecer o lugar, pois quando escrevi o livro *A Rosa do Cairo*, eu passei por lá. Estávamos no mesmo lugar, às margens do rio Nilo.

O dia era frio.

– Venha, Osmar, vamos nos sentar aqui. – disse Yasmin, me mostrando uma pedra no alto de um monte, donde víamos todas as aldeias do Egito.

Ela se sentou e eu me sentei ao seu lado.

– Osmar, eu vou te explicar um pouco sobre este tempo em que estamos, para que você acompanhe a minha trajetória desde o começo.

– Sou grato, Yasmin.

– Nesta época em que estamos, o Egito ainda não estava organizado.

Se você olhar bem, poderá perceber no horizonte, diversas comunidades agrícolas.

– Sim, estou vendo diversas aldeias. Umas maiores e outras menores.

– São chamadas de Momo.

– Momo?

– Sim, cada comunidade é chamada de Momo.

– Ok.

– Nossa terra está em franco crescimento e grandes obras estão sendo realizadas aqui. Éramos divididos em dois diferentes reinos: o Reino do Baixo Egito e o Reino do Alto Egito.

Menés, o Rei do Alto Egito, acaba de unificar os dois reinos, transformando-se no primeiro Faraó do Egito, colocando todos os monarcas sob o seu domínio.

Tinis passou a ser a capital do império.

Vivíamos em paz, pois Menés não conquistou o poder através do sangue. Ele era justo e bom, embora, fosse um tirano. Logo você vai entender.

Grandes obras foram realizadas nessa época, inclusive, a construção de algumas pirâmides.

Instituiu-se, nesse tempo, um sistema de servidão coletiva, o qual éramos submetidos aos trabalhos no campo e na cidade.

Era muito cansativo, na verdade, com o passar dos anos é que percebemos nossa escravidão.

Fomos escravizados por Menés.

O nível de intelecto desses espíritos era muito baixo, devido aos padrões estabelecidos pelo Faraó. Não tínhamos estudo e éramos mantidos em cárcere.

Por volta de 2300 a.C., a prosperidade que vigorava, ruiu, e tudo aconteceu por causa de uma série de problemas climáticos e convulsões sociais. A fome, as epidemias e uma série de tensões sociais, levaram à ruína o Antigo Egito. Assim, o império se findou.

Foi nessa época que tudo começou em minha vida, e é isso que a Nina me pediu para te contar.

– Sou "todo ouvidos", Yasmin.

– Bem, vamos lá.

O meu pai era líder de uma dessas pequeninas aldeias, como você pode ver.

– Sim, as Momos.

– Isso.

– Vivíamos uma felicidade plena. Tudo o que plantávamos era dividido entre todos de nossa aldeia, é como vou chamar.

– Sem problemas.

– O meu pai se chamava Rami e minha mãe, Jula. Eu tinha um irmão que se chamava Zayn. Éramos muito felizes às margens do Nilo. Eu amava profundamente os meus pais e, principalmente, o meu querido irmão, tínhamos uma ligação inexplicável.

A minha beleza era o nosso problema. Todos os viajantes que passavam por nossas terras, faziam propostas para me levar.

Isso incomodava muito o meu pai, que me mantinha sempre protegida.

Meu irmão então, nem se fala.

E esse foi o meu maior problema.

Aos 15 anos era mantida naquela prisão protetiva, e hoje, entendo que era realmente isso o que o meu pai fazia. Aquela situação começou a me revoltar.

Eu não podia sequer andar pela pequena vila em que vivíamos.

Eu era muito assediada.

Sabe Osmar, muitas vezes a beleza nos é oferecida como uma prova muito difícil de suportar, pois ela infla o nosso ego e não nos permite ser humildes. Eu era, na verdade, narcisista.

A fama de ser a mais bela do Nilo correu o Egito, até que um dia, um grupo de soldados a serviço do Faraó, chegou a minha casa.

– Bons dias, senhor Rami. – disse Samir, chefe da guarda do Faraó.

Meu pai, muito assustado, abriu a porta de nossa casa.

A minha mãe entrou em desespero e lágrimas, e o meu irmão, nada pode fazer. Foi um momento muito difícil para todos nós.

– Cumprindo ordens do nosso Faraó, eu vim buscar a menina. – disse o soldado.

– Vocês não têm o direito de levar a minha filha. – gritava o meu pai.

De nada adiantou os lamentos de meus pais. Fui colocada em uma pequena carroça e levada para o castelo de Menés.

Logo que cheguei, fui levada a sua presença e impressionado com a minha beleza, ordenou que eu fosse mantida em seu quarto, vigiada pelos seus guardas.

Eu tinha apenas 15 anos e estava muito assustada.

Passadas algumas horas, uma jovem tão bonita quanto eu, entrou no quarto para preparar-me um banho.

Seu nome: Laila.

Após entrar, cercada por mais quatro meninas, ela ordenou que eu tirasse as minhas roupas e me preparasse para o banho.

Sais e ervas foram colocados em uma luxuosa banheira, que havia dentro do próprio quarto do Faraó.

O lugar é muito bonito como você pode ver.

– Sim, que luxo.

Sem falar mais nada, Laila me ajudou e colocou-me na banheira.

Eu percebi que ela era diferente, suas vestes não eram comuns para aquele momento e, muito menos, para aquele lugar.

Eu sempre fui muito esperta, eu sabia que não adiantaria brigar. Eu tinha que achar um jeito de me colocar em destaque e atingir meus objetivos, pois eu já os tinha em mente.

Já que serei escrava, vou me aprofundar nas coisas daqui e buscar minha liberdade a qualquer preço. Esse era o meu plano.

Eu já tinha ouvido algumas histórias de meninas que eram levadas para servirem ao Faraó e nunca mais conseguiram ver seus pais. As poucas que tentaram, viram seus familiares serem assassinados cruelmente.

Eu sabia que esse não era o caminho. Eu tinha que escrever meu destino.

Naquela noite, o Faraó me usou.

Foi horrível, ele era um velho nojento e fedorento.

Tornei-me amiga íntima de Laila quando soube que ela era a sacerdotisa do templo. Era a senhora das magias e dos encantos.

Era ela quem cuidava de tudo para o Faraó. Fazia rituais e sacrifícios aos deuses para que o Faraó conseguisse tudo o que quisesse.

Por ser sacerdotisa, Laila tinha regalias e trânsito livre por todo o Egito.

Assim, eu me liguei a ela e comecei a aprender sobre magia.

Em poucos anos, eu já dominava completamente o Faraó e todos ao seu redor.

Foi quando o ódio só aumentou em mim.

– O que houve?

– Eu descobri que ele havia mandado assassinar os meus pais, e o único que escapou foi o meu irmão que, infelizmente, eu nunca mais vi.

Percebendo o meu plano, Menés agiu primeiro.

Através da magia, eu consegui tudo o que queria, até o dia em que eu o envenenei e, após sua derrota, tudo ruiu a nossa volta.

Naquele tempo, eu fugi para a Síria e lá vivi pouco tempo, até que fui assassinada por um jovem apaixonado por mim. Eu o tinha encantado, mas descuidei do feitiço.

Fiz muita magia, muitos sacrifícios, e esse foi meu legado durante muitos séculos.

Ao chegar às regiões de sofrimento, as que vocês chamam de Umbral, me estabeleci em uma fortaleza que consegui plasmar através de meus conhecimentos magísticos. Foi com eles que arregimentei um grupo de espíritos vagantes que passaram a me servir, formando assim, o meu pequeno exército.

Quando se conhece magia, você adquire muito poder.

Tornei-me uma excelente alquimista, e tudo o que eu precisava, eu fazia acontecer.

Os anos se passaram. Até que um dia, um grupo de médiuns em desdobramento chegaram ao portão de minha fortaleza.

Meus homens não conseguiam combatê-los, e eu fui informada de nossa fraqueza.

Imediatamente, dirigi-me ao lugar.

Chegando lá, deparei-me com seis médiuns, os quais me convidavam para acompanhá-los até o Centro Espírita deles, situado em Porto Alegre, no Brasil.

Tentei persuadi-los e usar todos os meus conhecimentos de magia, o que foi inútil. Aquilo despertou uma enorme curiosidade em mim, pois como alguém pode ter mais poder que eu?

Como eles conseguiram me achar?

Que poder é esse?

De onde vem essa gente?

Após longa conversa, o homem que se dizia operador, convenceu-me a acompanhá-lo até o Centro Espírita.

Dizia que tinha algo que queria me mostrar, que era muito importante para mim.

Curiosa e segura de mim, segui seus passos até o lugar.

Ao chegar, percebi uma enorme estrela, que formava um anel luminoso protegendo o local. Uma porta de fogo foi aberta, o que nos permitiu entrar.

Tudo aquilo começou a me encantar. Que magia era aquela? O domínio completo de anéis de fogo? Como assim?

Logo fiquei curiosa e querendo aprender sobre esse poder.

Percebi que havia índios muito fortes e bem armados, dando toda a segurança para o lugar.

Alguns pretos-velhos estavam sentados ao redor de uma mesa, onde os seis médiuns também se sentaram.

O tal operador sentou-se à cabeceira da mesa, e puxou uma cadeira para sentar-me ao seu lado.

O lugar era uma verdadeira fortaleza espiritual.

Havia muitos fluidos iluminando todo o ambiente.

Entrei, sentei-me e esperei o homem falar.

– Eu estou muito feliz que você tenha aceitado nos conhecer e nos acompanhar. – disse o homem.

– Eu estou impressionada com a magia que você utiliza aqui. Os anéis protetivos são perfeitos.

Gostei, também, de ver os índios lhe protegendo e dando segurança a este lugar.

– Yasmin, nós temos uma proposta para te fazer. – disse ele.

– Pode começar a falar.

– Nós estamos aqui trabalhando para ajudar um rapaz que está entrevado em uma cama há, exatamente, oito anos. Ele está em uma sala aqui ao lado.

– E o que você quer de mim?

– Nós gostaríamos que você nos ajudasse a curar esse moço.

– Meu amigo, se você acha que eu vim até aqui para fazer caridade, você está muito enganado. Eu estou bem onde estou, tenho meus criados, faço o que quero e vivo do jeito que sempre desejei.

Não sou de fazer mal a ninguém, só uso minha magia quando alguém entra em meu caminho. Tenho muitos poderes e não estou disposta a usá-los para ajudar ninguém.

Estou assim há alguns milhares de anos, então não me venham com essa conversinha de "olhe para a luz".

Não vejo motivos para ajudar a quem não conheço e, muito menos, trabalhar com caridade. Esse não é o meu destino, esteja certo disso.

– Yasmin, você é a única pessoa que pode ajudar esse moço. Já tentamos tudo o que estava ao nosso alcance, até que chegamos até você.

– Como vocês me descobriram?

– Rastreando o passado de Victor.

– Quem é Victor?

– Nosso paciente.

– Onde ele está?

– Na sala ao lado, como te falei.

– Meu amigo, eu te agradeço por ter me trazido aqui, mas eu tenho mais o que fazer. Eu vim até aqui para tentar entender que magia é essa que vocês usam, afinal, foi a única magia capaz de parar o meu exército.

Não sei o que vocês fizeram com meus homens, mas vou descobrir.

Agradeço a atenção, mas vou embora.

Foi quando tentei levantar, mas não consegui. Eu disfarcei para que eles não notassem, mas uma estranha força magnética poderosíssima me manteve naquela cadeira.

Todos os meus poderes tornaram-se minúsculos diante daquela energia, e a curiosidade aumentou em mim.

– Você não vai conseguir nos deixar. – disse o operador.

Respirei fundo e me acalmei.

– Então, o que vocês querem de mim?

– Queremos a sua ajuda para o Victor.

– Tragam ele até aqui, por favor. – disse.

Foi quando dois médiuns levantaram-se da mesa e dirigiram-se à sala ao lado.

Voltando, eles trouxeram um rapaz deitado em uma maca, coberto por um lençol de cor branca.

Naquele momento, eu fui levada novamente ao Egito.

Ao lado do rapaz havia dezenas de egípcios deformados. Eu os reconheci, foram os espíritos pelos quais eu fiz magia para serem destruídos, na minha época ao lado do Faraó.

O que aqueles malditos estavam fazendo àquele rapaz? Quem era ele realmente?

Era um processo obsessivo grave, eu percebi.

– Venha Yasmin, vamos nos aproximar de nosso paciente.

O barulho era grande, aqueles espíritos estavam revoltados e tentavam, a todo custo, me atingir. Disparavam lanças de fogo, mas eu estava protegida pelo ambiente que fora plasmado por aquele grupo de médiuns.

O ódio tomou conta do lugar.

Tudo começou a ficar escuro.

Foi quando o operador, percebendo a densidade do ambiente, ordenou, através de comandos e pancadas, que fluidos fossem estabelecidos para harmonizar o lugar. Ele contava "um, dois, três", e os fluidos aumentavam e espalhavam-se por todo o ambiente.

Imediatamente, uma nuvem verde invadiu o local, anulando os poderes daquele grupo de obsessores. As pancadas dadas por um malhete a mesa eram fluxos energéticos poderosíssimos que ordenavam tudo o que ali acontecia.

Eles perderam as suas forças e caíram, desmaiados, ao chão.

O operador, então, me pega pela mão e leva-me para próximo do rapaz, deitado à maca.

Ele retira o lençol, permitindo que eu visse quem é que estava ali à beira da morte.

E, para a minha felicidade e surpresa, era Zayn, meu amado irmão.

Imediatamente, entrei em lágrimas, pois eu estava procurando pela minha família há séculos. Eu não sabia de ninguém.

Abracei o meu irmão, beijei seu rosto.

Todos os médiuns ficaram muito felizes, e eu pude sentir a energia que eles me mandavam.

– É para esse rapaz que precisamos de sua ajuda, Yasmin.

– Ele é meu irmão. Eu estou procurando por ele há milhares de anos. Nunca o encontrei.

– Vocês tomaram caminhos diferentes, ele é um bom homem, está estudando para ser padre. Só que esses obsessores nunca o deixaram viver, por esse motivo ele procura a igreja. Foi trazido até nós por amigos que já não sabiam mais o que fazer.

Por seguidas encarnações, Zayn tentou se livrar desses espíritos, o que foi inútil, Yasmin.

Desde menino ele é atordoado por espíritos que querem, na verdade, se vingar de você, mas como não te achavam e não tinham poder sobre você, eles acharam o seu irmão. Pobre alma que sofre há milênios.

Olha o estado em que ele está!

Terá poucos dias de vida, se não fizermos nada.

– Não, ele não vai morrer, eu vou ajudá-lo, vou usar todos os meus conhecimentos para levantar o meu amado irmão.

– Para que isso lhe seja permitido, é necessário que você deixe de lado a sua fortaleza no Umbral, e que liberte todos os seus escravos, assim, conseguiremos juntos salvar a alma de seu irmão.

– Eu renuncio a tudo o que tenho.

– Está certa disso?

– Sim, claro que sim. Se é para o meu irmão, para a minha família, para aqueles que amo, deixo tudo de lado. Eu nunca quis fazer o mal, só me vinguei daqueles que destruíram a minha família no Egito. Agora, compreendo e sei o que devo fazer.

– Que boa notícia, Yasmin! Nós tínhamos certeza de que poderíamos contar com você. – disse uma médium, emocionada.

Imediatamente, a fortaleza de Yasmin se desintegrou no Umbral.

Seus escravos foram libertos.

Yasmin debruçou-se sobre o corpo magro de seu irmão à maca, e chorou copiosamente.

Todos nós nos emocionamos naquele momento.

Os obsessores foram levados, por um grupo de Caboclos, em esteiras de palha, para serem cuidados em regiões de amparo àqueles espíritos.

Percebemos uma imediata melhora em Victor que, na verdade, é o espírito de Zayn.

Eu estava muito feliz em ter presenciado tudo aquilo.

Compreendi que o amor é, realmente, instrumento eficaz e que salva a todos.

Naquele momento, dois mentores do Hospital Amor e Caridade chegaram ao Centro Espírita e abraçaram Yasmin, eram eles: Rami e Jula, seus pais.

Não contive as lágrimas. Finalmente, a linda Yasmin estava a salvo.

Naquele instante, eu senti um forte abraço.

Estávamos sentados nos jardins do Hospital Amor e Caridade.

– Obrigado por nos ensinar o perdão, Yasmin.

– Obrigada por permitir que eu contasse um pouco sobre mim, Osmar. Agora, tenho que ir, pois tenho muitos pacientes sob a minha responsabilidade. Espero que a minha história ajude as pessoas a se arrependerem e a buscarem o autoconhecimento, e através dele, consigam ajudar a todos os que precisam de amor.

Quando voltar aqui, venha até a minha casa para conhecer os meus pais, e leve o meu sorriso e a minha alegria a todos os seus leitores e amigos de Amor e Caridade.

Nos abraçamos novamente...

No trajeto que dá acesso ao hospital, eu pude ver que Nina vinha caminhando em minha direção, e não consegui segurar a emoção novamente...

Somos muito mais do que imaginamos, e podemos muito mais do que supomos, portanto, vamos amar o presente, porque daqui, só levaremos o amor.

Osmar Barbosa

Em breve o autor vai trazer mais informações em um novo livro sobre a técnica da Deametria.

O Editor.

"

Só o amor é capaz de mudar tudo ao nosso redor.

"

Yasmin

Outros títulos lançados por Osmar Barbosa

Conheça outros livros psicografados por Osmar Barbosa. Procure nas melhores livrarias do ramo ou pelos sites de vendas na internet.
Acesse
www.bookespirita.com.br

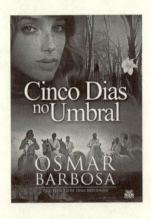

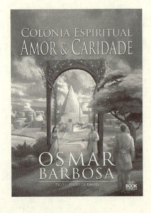
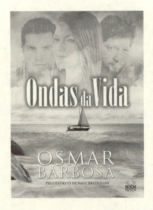

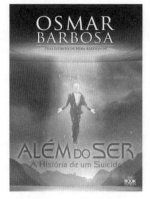
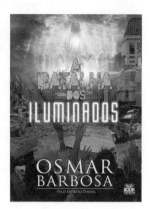
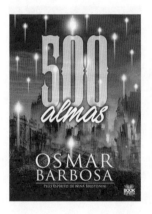

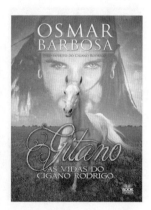
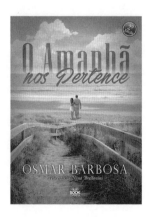

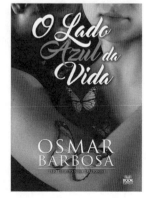

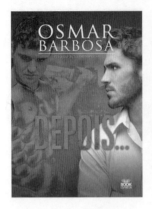  

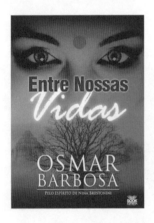 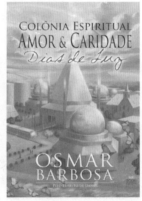 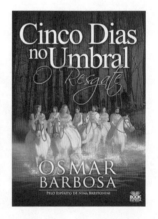

  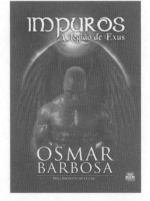

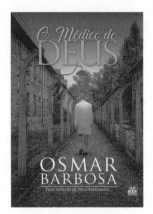

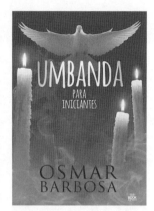

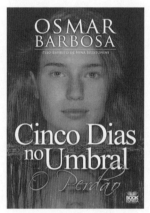

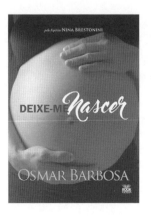
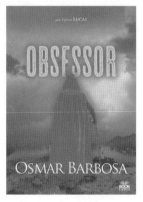

Esta obra foi composta na fonte Century751 No2 BT, corpo 13.
Rio de Janeiro, Brasil.